KB082351

만나서 반갑습니다!
좋은 일이 생길 거예요!

가슴이 설레는 만남이 아니어도 좋습니다.
가슴이 떨리는 운명적인
만남이 아니어도 좋습니다.
만남 자체가 소중하니까요!

최보규 방탄리더사관학교 창시자

세상에는 4대 사관학교가 있다. 육군사관학교, 해군사관학교, 공군사관학교, 방탄리더사관학교가 있다. 육군사관학교, 해군사관학교, 공군사관학교는 체계적인 시스템 속에서 군인정신 학습, 연습, 훈련을 통해 정예 장교(군 리더, 군사 전문가)를 육성하는 사관학교다.

방탄리더사관학교는 체계적인 시스템 속에서 방탄 리더십 25가지 시스템 학습, 연습, 훈련을 통해 정예 리더(방탄 리더, 방탄 리더십 전문가)를 양성하는 사관학교다.

누구나 리더가 된다. 하지만 방탄 리더는 아무나 될 수 없다. 누구나 방탄 리더가 될 수 있었다면 난 절대로 방탄리더사관학교를 선택하지 않았을 것이다.

방탄리더사관학교 신념

들어라 하지 말고 듣게 하자.
누구처럼 살지 말고 나답게 살자.

좋아하게 하지 말고 좋아지게 하자.
마음을 얻으려 하지 말고 마음을 열게 하자.

믿으라 말하지 말고 믿을 수 있는 사람이 되자.
좋은 사람을 기다리지 말고 좋은 사람이 되어주자.

보여주는(인기) 인생을 사는 것이 아닌
보여지는(인정) 인생을 살아가자.

나 이런 사람이야 말하지 않아도 이런 사람이구나.
몸, 머리, 마음으로 느끼게 하자.

- 최보규 방탄리더사관학교 참모총장 -

5

방탄리더사관학교 교훈

잘난 리더보다는
진실한 방탄 리더가 되겠습니다.

대단한 리더보다는
좋은 방탄 리더가 되겠습니다.

멋진 리더보다는
따뜻한 방탄 리더가 되겠습니다.

유명한 리더보다는
필요한 방탄 리더가 되겠습니다.

사람만 좋은 리더보다는
삼성(진정성, 전문성, 신뢰성)리더십이 나오는
방탄 리더가 되겠습니다.

－최보규 방탄리더사관학교 참모총장 －

방탄리더사관학교 사명

"당신은 제가 좋은 사람이
되고 싶도록 만들어요."라는
마음을 들게하여
행동하게 만드는
방탄 리더가 되기 위해
솔선수범, 청출어람
하겠습니다.

-최보규 방탄리더사관학교 참모총장-

방탄리더사관학교
BULLETPROOF LEADER MILITARY ACADEMY

방탄 리더십과

리더 사명감과	리더 기본기과	리더 태도과
리더십 식스펙(PT)과	리더 감정컨트롤과	리더 인간관계과
리더 소통과	리더 스토리텔링과	리더 스피치과
리더십 은퇴 준비과	리더 천재일우과	리더 7대 의무교육과
리더 자존감과	리더 멘탈과	리더 습관과
리더 행복과	리더 자기계발, 동기부여과	리더 재테크과
리더 방탄book기술력과	리더 책 쓰기, 출간과	리더 유튜버과
리더 강사과	리더 코칭과	리더 인재양성과

★★★★★ 방탄리더사관학교 25과 소개

★ 《방탄리더사관학교 1》 ★

Class 1. 방탄 리더십과

- 1명의 방탄 리더가 10만 명을 변화시키고 먹여 살린다. 리더는 사라져도 방탄 리더십은 1,000년 간다! 리더의 삼성(진정성, 전문성, 신뢰성)을 업그레이드!

Class 2. 리더 사명감과

- 사명감은 스펙이다. 학습, 연습, 훈련으로 만들어진다.

Class 3. 리더 기본기과

- 리더의 Body(몸) 기본기, Head(머리) 기본기, Mind(마음) 기본기. 기본기는 그림자와 같다. 평생 함께한다.

Class 4. 리더 태도과

- 세상에서 가장 강력한 태도 스펙! 태도 스펙 학습, 연습, 훈련!

Class 5. 리더십 식스펙(PT)과

- 숨만 쉬어도 근손실(근육 손실), 숨만 쉬어도 리손실(리더십 손실) 앞서가는 리더는 리더십PT를 받는다.

★《방탄리더사관학교 2》★

Class 6. 리더 감정컨트롤과

- 리더의 감정이 태도가 되면 안 된다. 감정컨트롤 학습, 연습, 훈련

Class 7. 리더 인간관계과

- 리더는 천재지변 인간관계가 아닌 천재일우 인간관계를 해야 한다.

Class 8. 리더 소통과

- 소통에 답이 있는가? 정답은 답이 아니다. 해결책도 답이 아니다. 공감만이 답이다. 공감력을 키우는 방탄 소통.

Class 9. 리더 스토리텔링과

- 리더에 스토리텔링(Storytelling)으로 함께 하는 사람을 스토리두잉(Story Doing)하게 만들어야 한다.
스토리텔링을 통해 스토리두잉(Story Doing)을 하지 않으면 스토리는 다 쓰레기 된다!

Class 10. 리더 스피치과

- Body(몸) 스피치, Head(머리) 스피치, Mind(마음) 스피치 학습, 연습, 훈련하는 방법 381가지!

Class 11. 리더 은퇴 준비과

- 평균 희망 은퇴 73세, 현실 은퇴49세 이다. 20대 은퇴 예정자? 30대 은퇴 확정자? 40대 은퇴 위험군? 은퇴십 골든타임!

★《방탄리더사관학교 3》★

Class 12. 리더 천재일우과

- 천재일우(千載一遇): 천 년에 한 번 만난다는 뜻으로 좀처럼 만나기 어려운 기회

★《방탄리더사관학교 4》★

Class 13. 리더 7대 의무교육과

- 직원은 5대 법정의무교육이 필수이고 리더는 7대 의무교육이 필수이다.

Class 14. 리더 자존감과

- 스마트폰은 쓰지 않아도 배터리가 소모되듯 리더 자존감 배터리는 숨만 쉬어도 소모된다. 리더 자존감 초고속 충전!

Class 15. 리더 멘탈과

- 리더 멘탈 7단계! 리더 순두부 멘탈, 리더 실버 멘탈, 리더 골드 멘탈, 리더 에메랄드 멘탈, 리더 다이아몬드 멘탈, 리더 블루다이아몬드 멘탈, 리더 방탄 멘탈.

Class 16. 리더 습관과

- 리더십은 이벤트가 아니라 습관이다. 리더십 습관, 꼰대십 습관

Class 17. 리더 행복과

- 리더 행복 심폐소생술! 리더 행복 초등학생, 리더 행복 중학생, 리더 행복 고등학생, 리더 행복 전문 학사, 리더 행복 학사, 리더 행복 석사, 리더 행복 박사, 리더 행복 히어로

★ 《방탄리더사관학교 6》 ★

Class 18. 리더 자기계발, 동기부여과

- 리더는 노오력 자기계발, 동기부여가 아닌 올바른 노력 자기계발, 동기부여를 해야 한다.

Class 19. 리더 재테크과

- 리더의 7가지 재테크는 선택이 아닌 필수다.

★ 《방탄리더사관학교 7》 ★

Class 20. 리더 방탄book기술력과

- 수입 창출 6가지 시스템! 100세까지 지속적인 수입을 발생시키고 100세까지 현역을 유지시켜 준다.

Class 21. 리더 책 쓰기, 출간과

- 리더 자신 분야 삼성(진정성, 전문성, 신뢰성)을 올리

는 최고의 자기계발은 책 쓰기, 책 출간이다!

★《방탄리더사관학교 8》★

Class 22. 리더 유튜버과

- 리더는 유튜브가 아닌 나튜브를 해야 한다.

★《방탄리더사관학교 9》★

Class 23. 리더 강사과(무인 시스템)

- 리더는 프로 강사처럼 말(스피치), 표정, 행동이 나와야 한다.

★《방탄리더사관학교 10》★

Class 24. 리더 코칭과

- 리더 코칭 10계명(품위유지의무), 리더의 0순위 스펙은 코칭 능력이다.

Class 25. 리더 인재 양성과

- 인재는 오는 것이 아니라 만들어지는 것이다. 인재 양성 시스템이 없으면 인재는 리더를 떠나지만 인재양성 시스템이 있으면 인재는 리더와 100년을 함께 한다.

방탄리더사관학교
BULLETPROOF LEADER MILITARY ACADEMY

방탄리더사관학교
최보규 참모총장

지금처럼이 아닌 지금부터 살게 해주겠습니다.
때를 기다리는 사람이 아닌 때를 만들어가는
사람으로 변화시켜 주겠습니다.
세상에는 최보규 코칭전문가 보다
코칭을 잘 하는 사람 많습니다.
하지만 세상에서 최보규 코칭전문가 만큼
함께 하는 사람을
자립할 수 있을 때까지 케어해주는 사람은 없을 것입니다!

최보규 방탄리더사관학교 참모총장

최보규 대표

상담, 코칭, 강의, 컨설팅 문의
010-6578-8295

현] 방탄자기계발사관학교 창모총장
현] 강사야 대표강사
현] 자기계발아마존 CEO
현] 방탄book 출판사 대표
현] 방탄강사사관학교 코칭전문가
현] 사랑의전화 카운슬러
현] 방탄자기계발 유튜버
현] 최보규상(대한민국 노벨상)창시자

16

방탄
동기부여

책150권 출간   상담 17,000회   코칭 13,000회   강의 경력 6,200회

Google 자기계발아마존   ▶YouTube 방탄자기계발   NAVER 방탄자기계발사관학교   NAVER   최보규

N 최보규

전체   프로필   최근활동   도서

프로필 →

소속	방탄자기계발사관학교/방탄북 (BOOK)출판사(대표)
수상	2016년 제1회 세계를 빛낸 천 사상 대상
경력	방탄자기계발사관학교/방탄북 (BOOK)출판사 대표 방탄자기계발사관학교 대표 2012.05~2016.06 사랑의전화 전화상담 자원 봉사자 2014.11 행복사관학교 대표
사이트	유튜브, 블로그, 네이버TV, 페이스북, 공식홈페 이지
작품	★도서 108건,관련활동

자기계발서 150권, 전자책 250권 출간으로
삼성(진정성, 전문성, 신뢰성)이 검증된 전문가

Google 자기계발아마존　　YouTube 방탄자기계발　　NAVER 방탄자기계발사관학교　　NAVER　　최보규

종이책 150권, 전자책 250권
총 400권 무인 콘텐츠

24시간 무인 시스템

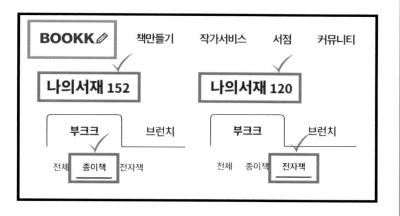

이번 생에 건물주는 힘들어도
온라인 건물주는 가능하다!
400층 온라인 건물주를 가능하게 만든 시스템!

방탄book기술력

⭐⭐⭐⭐⭐
방탄자기계발사관학교
홈페이지 무인시스템

방탄자기계발사관학교 ✸

아무나 방탄자기계발전문가가 될 수 있었다면 난 절대로 방탄자기계발사관학교를 선택하지 않았을 것이다.

Google 자기계발아마존 ▶YouTube 방탄자기계발 NAVER 방탄자기계발사관학교 NAVER 최보규

방탄자기계발사관학교
홈페이지 무인시스템

방탄자기계발사관학교 소개
1,000,000원

구매하기

PPT로 책 쓰기, 책 출간
200,000원

구매하기

자신 분야 6가지 수입을 창출 방법
200,000원

구매하기

방탄 사랑 사랑 사용 설명서 사랑도 스펙이다
200,000원

구매하기

Google 자기계발아마존   ▶ YouTube 방탄자기계발   NAVER 방탄자기계발사관학교   NAVER   최보규

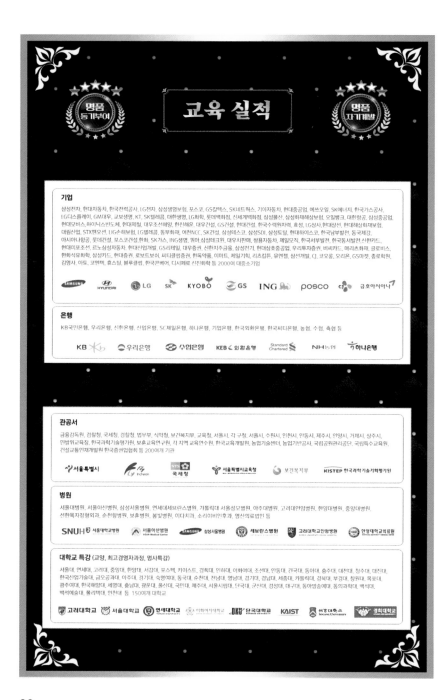

교육 실적

기업

삼성전자, 현대자동차, 한국전력공사, LG전자, 삼성생명보험, 포스코, GS칼텍스, SK네트웍스, 기아자동차, 현대중공업, 에쓰오일, SK에너지, 한국가스공사, LG디스플레이, GM대우, 교보생명, KT, SK텔레콤, 대한생명, LG화학, 롯데백화점, 신세계백화점, 삼성물산, 삼성화재해상보험, 오일뱅크, 대한항공, 삼성중공업, 현대모비스, 하이닉스반도체, 현대제철, 대우조선해양, 현대해운, 대우건설, GS건설, 현대건설, 한국수력원자력, 효성, LG상사, 현대상선, 현대해상화재보험, 대림산업, STX팬오션, LIG손해보험, LG텔레콤, 동부화재, 여천NCC, SK건설, 삼성테스코, 삼성SDI, 삼성토탈, 현대하이스코, 한국남부발전, 동국제강, 아시아나항공, 롯데건설, 포스코건설,한화, SK가스, ING생명, 웅아, 삼성테크윈, 대우자판매, 쌍용자동차, 제일모직, 한국서부발전, 한국동서발전 신한카드, 현대미포조선, 르노삼성자동차, 현대산업개발, GS리테일, 대우증권, 신한지주금융, 삼성전기, 현대삼호중공업, 우리투자증권, 비씨카드, 메리츠화재, 글로비스, 한화석유화학, 삼성카드, 현대증권, 로보트와쉬, 씨티글로벌증권, 한독약품, 이마트, 제일기획, 리츠칼튼, 유엔텍, 삼선개발, CJ, 코오롱, 오리온, GS마켓, 종로학원, 김영사, 아토, 코엔텍, 휴스틸, 블루클럽, 한국콘베어, 디시페로 신진화학 등 2000여 대중소기업

은행

KB국민은행, 우리은행, 신한은행, 신업은행, SC제일은행, 하나은행, 기업은행, 한국외환은행, 한국씨티은행, 농협, 수협, 축협 등

관공서

금융감독원, 검찰청, 국세청, 감찰청, 법무부, 식약청, 보건복지부, 교육청, 서울시, 각 구청, 서울시, 수원시, 인천시, 안동시, 제주시, 안양시, 거제시, 상주시, 인범위교육청, 한국과학기술평가원, 보훈교육연구원, 각 지역 교육연수원, 한국교육개발원, 농업기술센터, 농업기반공사, 국립공원관리공단, 국립특수교육원, 건설교통인재개발원 한국증권업협회 등 2000여개 기관

병원

서울대병원, 서울아산병원, 삼성서울병원, 연세대세브란스병원, 가톨릭대 성모병원, 아주대병원, 고려대안암병원, 한양대병원, 중앙대병원, 선한목자정형외과, 순천향병원, 봄빛병원, 이다치과, 소리이비인후과, 영사의료법인 등

대학교 특강 (교양, 최고경영자과정, 명사특강)

서울대, 연세대, 고려대, 중앙대, 한양대, 서강대, 포스텍, 카이스트, 경희대, 인하대, 이화여대, 조선대, 안동대, 건국대, 동아대, 충주대, 대천대, 청주대, 대진대, 한국산업기술대, 금오공과대, 아주대, 경기대, 숙명여대, 동국대, 순천대, 전남대, 영남대, 경기대, 강남대, 제종대, 카톨릭대, 강북대, 부경대, 창원대, 목포대, 광주여대, 한국해양대, 세명대, 충남대, 광운대, 용산대, 국민대, 제주대, 서울시립대, 단국대, 구산대, 강성대, 대구대, 동아방송예대, 동의과학대, 백석대, 백석예술대, 불리텍대, 인천대 등 150여개 대학교

강의 사진

600명 자자자자멘습긍 강의
(자존감, 자신감, 자기관리, 자기계발, 멘탈, 습관, 긍정)

500명 자자저자멘습긍 강의
(자존감, 자신감, 자기관리, 자기계발, 멘탈, 습관, 긍정)

최보규 방탄강사 창시자

저는 입으로 강의하지 않겠습니다.
제 삶으로 강의하겠습니다.
저는 가르치지 않겠습니다.
제 삶으로 가르치겠습니다.
최보규강사는 명강사, 스타강사가 아닙니다!
그래서 한 달에 15권 책을 보고 메모하며
강의 준비, 솔선수범 하고 있습니다!
최보규강사 보다 강의 잘하는 사람은 많습니다!
다만 최보규강사 만큼 학습자를
사랑하는 강사는 세상에 없을 것입니다!

최보규 방탄동기부여 신조

들어라 하지 말고 듣게 하자.
누구처럼 살지 말고 나답게 살자.
좋아하게 하지 말고 좋아지게 하자.
마음을 얻으려 하지 말고 마음을 열게 하자.
믿으라 말하지 말고 믿을 수 있는 사람이 되자.
좋은 사람을 기다리지 말고 좋은 사람이 되어주자.
보여주는(인기) 인생을 사는 것이 아닌
보여지는(인정) 인생을 살아가자.
나 이런 사람이야 말하지 않아도
이런 사람이구나 몸, 머리, 마음으로 느끼게 하자.

경력은 실력이 아닙니다! 최보규 강사는 경력만으로 강의하지 않습니다!
책을 읽고 메모하며 책을 출간 했다고 강의 내공이 좋은 건 아닙니다!
하지만 책 2,032권, 메모 7,626개, 습관 320가지, 책 100권 출간 내공으로
강의하는 강사에 강의 내공은 단언컨대 "세계 최고"일 것입니다!

15년 2,032권 읽음

15년 7,626개 메모

자기계발서 100권 출간

45년 방탄 습관 320가지

최보규 강사 11계명

1. 학습자에게 섬김을 받으려는 강의가 아닌 학습자를 섬길 수 있는 강의를 하겠습니다.
2. 오늘이 마지막 날인 것처럼 강의하고 영원히 살 것처럼 학습자에게 배우겠습니다.
3. 강의 있는 전날에는 최상의 컨디션을 유지 하기 위해 건강관리, 목 관리, 자기관리 하겠습니다.
4. 강의장 1시간 전에 도착해서 강의 마음가짐 준비하겠습니다.
5. 강의장 가장 먼저 도착 강의 끝난 후 가장 늦게 나오겠습니다.
6. 내 삶이 강의고 강의가 내 삶이 되도록 행동하겠습니다.
7. 힘들게 배운 강의 노하우들 아낌없이 주겠습니다.
8. 어떻게 하면 학습자에게 즐거움? 행복? 메시지? 감동? 희망? 사랑?을 줄 것인가에 항상 생각
   하며 공부하겠습니다.
9. TV보다 책을 더 보겠습니다. 10. 공인이라는 마음으로 솔선수범하겠습니다.
11. 강사의 자존심 아침에 나올 때 신발장에 넣고 나오겠습니다.

방탄강사 백신

★ 잘난 강사가 되지 않고 진실한 강사가 되겠습니다!
잘난 강사는 피하고 싶어지지만 진실한 강사는
곁에 두고 싶어집니다!

★ 대단한 강사가 되지 않고 좋은 강사가 되겠습니다!
대단한 강사는 부담을 주지만 좋은 강사는
행복을 줍니다

★ 멋진 강사가 되지 않고 따뜻한 강사가 되겠습니다!
멋진 강사는 눈을 즐겁게 하지만 따뜻한 강사는
마음을 데워 줍니다.

★ 유명한 강사가 되지 않고 필요한 강사가 되겠습니다!
유명한 강사는 환상을 주지만 필요한 강사는
배움, 성장, 지혜를 줍니다.

해보자! 해보자!
자신 가능성을 믿고!

해보자!

해보자!

자신의
사과 씨, 도토리, 포도 씨 믿으세요!

사과 씨 안에 얼마나 많은 사과가 있는지 모른다!
도토리 안에 얼마나 많은 도토리가 있는지 모른다!
포도 씨 안에 얼마나 많은 포도가 있는지 모른다!

목차

★ 《방탄리더사관학교 2》 ★

를 해야 한다.

★ 인간관계 고.틀.선.편 깨기! 20,000명 심리 상담, 코칭으로 알게 된 방탄 인간관계! 075

★ 천재지변 인간관계? 천재일우 인간관계? 080

- 소통에 답이 있는가? 정답은 답이 아니다. 해결책도 답이 아니다. 공감만이 답이다. 공감력을 키우는 방탄 소통.

★ 소통 고.틀.선.편 깨기! 소통에 답이 있는가? 정답은 답이 아니다. 해결책도 답이 아니다. 공감만이 답이다. 101

★ 방탄 소통, 방탄 공감 7가지 핵심 요소! 109

- 리더에 스토리텔링(Storytelling)으로 함께 하는 사람을 스토리두잉(Story Doing)하게 만들어야 한다.
스토리텔링을 통해 스토리두잉(Story Doing)을 하지 않으면 스토리는 다 쓰레기 된다!

★ 스토리텔링(Storytelling)은 누구나 한다. 하지만 스토리두잉(Story Doing)까지 하게 만드는 스토리텔링은 아무나 하지 못한다. 143

★★★★★ 방탄리더사관학교 창시한 이유

방탄리더사관학교를 창시한 이유는 세종대왕님이 한글을 창시한 이유와 같다.

세종대왕님이 한글을 창시한 이유는 한 문장으로 말을 한다면 백성을 사랑해서다.

훈민정음 서문
우리나라의 말과 소리가 중국과 달라 한자와 서로 통하지 않는다. 그러므로 어리석은 백성들이 말하고 싶은 바가 있어도 그 뜻을 펴지 못하는 이가 많다. 내가 이를 불쌍히 여겨 새로 스물여덟 자를 만드노니 사람마다 쉽게 익혀 나날이 쓰기에 편하게 하고자 할 따름이니라.

최보규 방탄리더사관학교 참모총장이 방탄리더사관학교를 만든 이유를 한 문장으로 말을 한다면 "함께 하는 사람을 사랑하고 함께 잘 되고 잘 살자"라고 할 수 있다.

지금 3고(고물가, 고금리, 고환율) 시대, AI 시대, 챗GPT 시대, 숨만 쉬어도 200만 원 ~ 300만 원이 나가는 시대, 평균 희망 은퇴 73세, 현실 은퇴 나이 49세 시

37

대... 점점 더 힘들고 어려워지는 시대다. 지금 상황을 극복하기 위해서는 일반 리더십으로는 힘들다. 강력한 리더십이 필요하고 노오력 하는 리더가 아닌 올바른 노력을 하는 방탄 리더가 절실하게 필요한 시대다.

나쁜 개는 없다. 나쁜 견주만 있다. 견주십!
나쁜 자녀는 없다. 나쁜 부모만 있다. 부모십!
나쁜 직원은 없다. 나쁜 리더만 있다. 리더십!

모든 것은 리더십에서 시작된다는 것이다. 지금 시대는 위치가 사람을 만드는 경우보다 위치가 사람을 망치는 경우가 더 많다. 리더 위치에서 끊임없이 리더십 학습, 연습, 훈련하지 않으면 리더를 망치고 리더와 함께 하는 사람들까지 망쳐버린다. 그 무엇보다 리더십은 체계적으로 배워야 하는데 현실은 어떤가?

20,000명 심리 상담, 코칭 하면서 알게 된 것은 체계적인 시스템 없는 인스턴트 리더 책, 인스턴트 리더 교육으로 인해 건강한 리더십, 현명한 리더십이 아닌 늘 그때뿐인 인스턴트 리더십에 중독되어 리더들의 몸, 머리, 마음까지 썩고 있다는 것이다.

리더십의 본질을 알아야만 노오력이 아닌 올바른 노력

을 할 수 있다.

운동의 본질은 헬스, 운동의 기본기를 배우지 않는 사람이 좋은 헬스장으로 옮긴다고 헬스, 운동 습관이 만들어지는 것이 아니다.

직장의 본질은 월급 날짜만 기다리는 사람이 직장을 바꾼다고 일에 대한 의욕이 생기지 않는다.

사랑의 본질은 평상시에 사랑받을 행동을 안 하는 사람은 사랑하는 사람이 생겨도 사랑받을 수가 없다.

인간관계의 본질은 내가 좋은 사람이 되기 위해 학습, 연습, 훈련을 안 하면 좋은 사람이 생겨도 금방 떠나간다.

자기계발, 동기부여 본질은 "어제 보다 0.1% 나은 사람이 되자."라는 태도로 꾸준히 자기계발, 동기부여하지 않으면 시간, 돈 낭비를 한다.

리더십의 본질은 경력, 나이를 내세우면서 시대에 맞는 리더십으로 업데이트하지 않으면 리더십이 아닌 꼰대십(리더병)이 나온다. 꼰대십(리더병)이 생기면 "위치가 사람을 만드는 것이 아니라 위치가 사람을 망쳐버린다."

본질의 힘

본질을 모르면
시간, 돈, 인생 낭비가 되어
악순환이 반복된다.
본질을 어떻게 학습, 연습, 훈련할 것인가?

 헬스, 운동의 본질

 직장, 일의 본질

 연애, 사랑의 본질

 인간관계의 본질

 자기계발, 동기부여의 본질

 리더십의 본질

더 늦기 전에 방탄리더사관학교 25가지 리더십의 본질인 방탄 리더 인재 양성 시스템을 통해 강력한 리더십인 방탄 리더십으로 거듭나야 된다.

방탄 리더 1명이 10만 명을 먹여 살리고 변화 시킨다.
리더는 사라져도 방탄 리더십은 1,000년 간다.
세계 최초 방탄리더사관학교 25가지 시스템 시작한다!

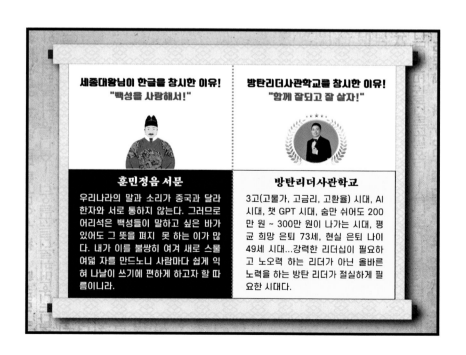

★ 《방탄리더사관학교 2》 ★

Class 6. 리더 감정컨트롤과

- 리더의 감정이 태도가 되면 안 된다. 감정컨트롤 학습, 연습, 훈련

★ 세계 인구 80억 명 감정 80억 가지! 감정컨트롤 고.틀.선.편 깨기(고정관념, 틀, 선입견, 편견)

국어사전에서 감정을 검색하면 어떤 현상이나 일에 대하여 일어나는 마음이나 느끼는 기분이라고 한다.
몸, 머리, 마음에서 반응하는 모든 것들에서 느끼는 것을 감정이라 할 수 있다.

<EBS 사람의 감정과 표정>에서는 사람이 지을 수 있는 표정은 7,000가지가 있고 놀라운 속도로 얼굴에 나타났다 사라진다고 한다. 더 놀라운 것은 그 많은 표정 중 감정을 표현하는 표정은 동일하다고 한다. 심리학자들은 전 세계 사람들이 공통으로 가지는 있는 6가지 감정을 찾았다. 모든 인류가 공통으로 가지고 있는 6가지 감정인 기쁨, 슬픔, 두려움, 놀람, 분노, 혐오다.

사람이 7,000가지 표정을 지을 수 있다는 것은 7,000가지 감정이 있다고 봐야 할 것이다. 필자가 20,000명 심

리 상담, 코칭 하면서 알게 된 것은 비슷한 상황이 있을 뿐이지 상황에 느끼는 감정은 20,000가지라는 것이다.

한마디로 세계인구 80억 명이라면 80억 가지의 감정이 있다고 할 수 있다.
90%의 사람들이 감정의 대한 고정관념을 가지고 있다. 가장 큰 고정관념은 자신에게 생기는 감정 중에 좋은 감정만 내 것이고 안 좋은 감정은 자신 것이 아니라고 단정 지어 인정하지 않는다. 안 좋은 감정은 상황, 상대방 때문에 만들어진 감정이라고 판단을 하고 스트레스를 받는다. 당연히 상황, 상대방 때문에 안 좋은 감정이 만들어지는 경우가 많다. 하지만 냉정하게 생각을 해보면 상황, 상대방 때문에 안 좋은 감정이 만들어지는 것이 아니라 자신이 바라는 상황(결과), 인생을 살면서 만들어진 인간관계 기준(자신이 원하는 인간관계)에 미치지 못해서 안 좋은 감정이라고 판단하는 경우가 99%라는 것이다.

감정컨트롤을 잘하기 위한 핵심 고.틀.선.편 깨기에 기본은 자신에게 일어나는 좋은 감정 10%, 안 좋은 감정 90%를 다 내 것이라고 인정하는데서 부터 시작 된다. 인정이 아니라 자연의 법칙이라는 것이다. 자연의 법칙을 인정 하는가? 우리가 태어나기 전부터 태양이 떠 있고 태어나서 숨을 쉬는 것처럼 자연스럽고 당연한 것이다.

여기서 이런 의문점이 들것이다. "자신에게 일어나는 좋은 감정, 안 좋은 감정을 인정하라는 말과 이론은 알겠는데요. 말이 쉽죠. 좋은 감정은 인정 안 하고 싶어도 자연스럽게 되는데 안 좋은 감정을 인정한다는 것이 너무 어렵습니다." 또한 20,000명 심리 상담, 코칭 하면서 늘 물어보는 질문이 있다. "상황이 안 좋아서 안 좋은 감정이 생기는 건 그래도 참겠는데 인간관계, 사람들 때문에 안 좋은 감정들이 생기면 감정컨트롤이 되지 않아서 화가 나고 짜증이 나는 경우가 많습니다."

당연히 감정이라는 것이 눈에 보이지만 손에 잡히지는 않기에 인정한다는 것이 쉽지 않다. 감정컨트롤 한다는 게 쉽지 않다는 것이다. 대부분 사람들이 인간관계 속에서 말, 표정, 행동 때문에 감정컨트롤이 안 돼서 스트레스가 쌓인다는 것이다.

다음은 사소한 말로 인해서 감정이 상할 수 있는 상황인데 감정컨트롤 정석이 무엇인지 깨닫게 해주는 스토리텔링이다.

기자: 내가 프리먼씨에게 검둥이라고 말하면 어떻게 되죠?

프리먼: 아무 일도 없어요.

기자: 왜 기분이 나쁘지 않은거죠?

프리먼: 내가 당신에게 멍청한 독일 암소라고 말하면 어떻게 되는데요?

기자: 그야 아무 일도 일어나지 않죠.

프리먼: 그것 보세요. 나도 마찬가지예요.

기자: 자기한테 한 말이라고 느끼지 않는 것이 비결인가요?

프리먼: 기자 양반이 나에게 검둥이라고 하면 잘못된 단어를 사용하는 당신의 문제이지 내 문제가 아니에요.

<미국 흑인배우 모건 프리먼 인터뷰 기사중>

여기서 감정컨트롤 하수들은 위 스토리텔링을 이렇게 받아들인다. "음 잘못된 단어를 쓰는 사람이 문제라는 것 누가 몰라? 기자가 말했듯이 자기한테 한 말이라고 느끼지 않는 것이 중요한 거지. 누가 몰라? 한마디로 상대방이 안 좋은 말을 하더라도 반응하지 않아야 한다? 누가 몰라?"라고 받아들이며 감정컨트롤 우주 왕 하수가 되어 간다. 감정이 태도가 되어 모든 감정들이 표정, 말투, 행동으로 드러나게 되어 자신 수준을 자신이 낮춘

다. 그래서 늘 좋은 글, 영상, 메시지를 보면서 느끼는 감정인 감동, 울림들이 1초 지나면 쓰레기 되어 버린다.

울림, 감동... 등 좋게 느꼈던 감정들을 자신의 삶에 가져와서 내 것으로 만드는 공식을 알려 주겠다. 《나다운 방탄습관블록》 책에 있는 '3why?기법!'이다.

3why?기법!
첫 번째 왜? 나 같으면 쌍욕을 했을 거 같은데? 모건 프리먼 배우는 어떻게 저런 말을 할 수 있지?
두 번째 왜? 모건 프리먼 배우는 평상시 어떤 감정컨트롤 습관을 하고 있기에?
세 번째 왜? 지금 내 생활 속에서 사소하게 무엇부터 시작을 해야 감정컨트롤 습관을 만들 수 있을까?

필자가 '3why?기법!'을 외우고 다니면서 실천하고 있는 감정컨트롤 방법 320가지 습관을 참고하길 바란다. 습관 320가지는 뒤에 나올 것이다.

모건 프리먼 영화배우가 인격 모독적인 말을 듣고도 감정컨트롤을 할 수 있었던 비결은 상담 전문가로서 말을 한다면 여러 가지 이유가 있겠지만 감정컨트롤의 핵심 요소인 감정컨트롤 자존감, 감정컨트롤 멘탈, 감정컨트롤 습관, 감정컨트롤 행복, 감정컨트롤 자기계발, 감정컨트롤 코칭이라고 말할 수 있다. 이 중에서도 모건 프리먼 영하배우는 감정컨트롤 자존감이 높았기 때문이다.

자존감 낮은 리더, 사람들은 세상, 현실, 주위 사람들이 만들어 놓은 색안경에 민감하다. 그래서 사소한 말이라도 감정컨트롤이 잘되지 않아 상처를 잘 받고 스트레스를 받는 반면에 자존감이 높은 리더, 사람들은 세상, 현실, 주위 사람들이 만들어 놓은 색안경 만들어진 환경을 부인하지도 않고 반응하지도 않는다.

감정컨트롤(스트레스 관리)을 잘하기 위해서는 자존감 학습, 연습, 훈련이 기본이 되어야 한다는 것이다. 감정컨트롤 자존감의 세부적인 내용은 감정컨트롤 자존감 원리, 감정컨트롤 자존감 학습, 연습, 훈련에서 오픈 하겠다.

감정컨트롤 시작? 스트레스 관리 시작?

모든 사람에게 일어나는
자연의 이치인 하루 동안 좋은 감정 10%, 안 좋은 감정 90%다!
감정컨트롤, 스트레스 관리 시작은
안 좋은 감정 90%도 내 것이라고 인정하는 것이다.
인정하기 위한 리더 감정컨트롤 7요소 학습, 연습, 훈련**을 꾸준히 해야 한다!**

하루 동안 안 좋은 감정 90%

하루 동안 좋은 감정 10%

★ 자신 감정을 가장 많이 흔드는 사람 베스트 5

20,000명 심리 상담, 코칭 하면서 알게 된 것은 자신 감정을 가장 많이 흔들리게 하고 아프게 하는 사람 1순위는 자기 자신, 2순위는 가족, 3순위 결혼한 배우자, 4순위 자녀, 5순위는 인간관계라는 것이다. 아이러니 하지 않은가? 가까운 사이일수록 자신 감정을 많이 흔들고 아프게 한다는 것이다. 역으로 생각하면 감정컨트롤 최고의 방법을 알려주는 사람이 가까운 관계라는 것이다. 가장 가까운 사람들에게 느끼는 감정들을 컨트롤한다면 그 어떤 사람을 만나도 감정컨트롤이 잘될 것이다. 하지만 안타깝게도 20,000명 심리 상담, 코칭 하면서 알게 된 것은 이론에 불과하다.

가까운 곳에 답이 있는데 눈에 보이지 않는 감정이다 보니 세상에서 가장 어려운 것이다. 하지만 실망하지 말라! 20,000명 심리 상담, 코칭 전문가로서 감정컨트롤을 잘하는 정답은 아니지만 정답에 가장 가까운 정답을 알려 주겠다. 다음은 감정컨트롤 잘하는 방법을 깨닫게 해주는 스토리텔링이다.

아무나 만나지 말자!
행복을 결정짓는 가장 중요한 요소는 사람입니다.

어디에서 무엇을 하느냐보다 누구와 함께 시간을 보내느냐가 더 중요한 것이죠. 이는 과학적으로 증명이 됐어요. 미국 하와이대학의 일레인 햇필드 연구진은 누군가와 함께 시간을 보낼 때 상대의 표정, 목소리 톤, 자세, 움직임들을 지속적으로 모방하고 동기화한다는 사실을 밝혀냈어요. 웃는 사람의 얼굴을 보면 자신도 모르게 웃게 되고, 화난 사람의 얼굴을 보면 인상을 쓰게 된다는 거죠. 이는 '안면 피드백 이론'에 따라 모방하는 사람의 감정에도 영향을 미치게 돼요. (안면 피드백 이론: 감정은 얼굴 표정에 영향을 받는다는 이론)

쉽게 말해 함께 있는 사람이 행복하게 웃을 때 나 또한 더 많이 웃고 행복해지기 쉬워요. 반대로 불안, 공포와 같은 부정적인 감정 또한 나에게 전염이 된다는 것이지요. 누구와 함께 시간을 보낼지 신중해야 하는 이유예요. 험담하고 남 탓하며 사는 사람보다 긍정적인 사람과 함께 시간을 보내는 게 낫겠죠?

드라마<미생>에서도 이런 대사가 나와요. "파리 뒤를 쫓으면 변소 주변이나 어슬렁거리고 꿀벌 뒤를 쫓으면 꽃밭을 함께 거닌다. 좋은 영향을 주고받는 사람과 함께 좋은 방향으로 나아가야 함을 말합니다. 서로가 서로에게 좋은 사람이 되어주는 것이지요. 그러니 보기만 해도 영감이 느껴지고 함께 있는 것만으로 든든하고 유쾌한 즐거운 사람들과 좋은 관계를 맺고 유지하며 살아가셨으면 해요.

-두잉피플-

가난한 사람 96%가 가진 습관

만약 습관처럼 만나오던 친구가 나의 인생에 악영향을 미치고 심지어 나의 지갑 사정마저 안 좋게 만든다면 그 인연을 계속 이어가야 할까?

<습관이 답이다>의 저자 토마스 C. 콜라는 350명이 넘는 부자와 가난한 사람들의 습관을 5년 동안 연구했다. 그에 따르면 가난한 사람들 중 96%가 부정적이고 해로운 사람들과 어울려 지냈다.

만약 당신의 주변 사람들이 세상을 부정적으로 바라보고 자신의 처지를 냉소하며 노력하지 않고 무기력한 모습을 보인다면 그 모습 그대로 우리 자신에게 전파될 가능성이 높다. 우리 뇌에는 '거울 신경 세포'가 있어 자주 만나는 사람의 행동을 따라 하게 되기 때문이다.

반면, 멘토가 있다고 응답한 부자들 93%는 자신들이 이룬 막대한 부가 멘토 덕분이라고 밝혔다.

이들은 멘토로부터 좋은 습관을 배웠다고 말한다. 저자는 인간은 누구나 가깝게 지내는 사람으로부터 영향을 받기 때문에 성공을 추구하고 낙관적이며 목표 지향적이고 긍정적인 사람들과 어울릴수록 이루고자 하는 성취에 도움이 될 것이라고 조언한다.

여기서 잠깐, 좋든 싫든 친구나 멘토 하나 없다고 좌절할 필요는 없다. 자수성가한 부자들의 58%는 다른 성공한 사람들의 전기를 읽는다고 응답했다.

당신이 습관적으로 만나는 사람은 어떤 사람인가? 당신의 그 습관에 답이 있다.

<습관이 답이다>

위에 2가지 스토리텔링이 말하는 핵심은 어떤 사람과 어울리냐에 따라서 자신의 감정이 좌지우지되고 행복, 인생, 삶까지 좌지우지된다는 것이다. 그런데 솔직히 만나는 사람들을 가려서 만나야 된다는 것을 모르는 사람들은 없다. 영상, 대중매체, 책, 스타, 인지도 있는 사람들이 늘 하는 말이다. 이론 적인 말들 늘 그때뿐이라는 것이다. 세계 인구 80억 명이 알고 있는 말 끼리끼리, 유유상종, 그 밥에 그 나물 이라는 말이 있듯이 자신 수준이 낮으니 수준이 낮은 사람들을 만나는 것은 당연한 것이다.

20,000명 심리 상담, 코칭 하면서도 끊임없이 말을 하는 게 있다. 인맥 다이어트, 인간관계 다이어트를 해야 한다. 지금까지 인맥, 만나는 인간관계로 인생 업데이트

가 되지 않았다면 인간관계 다이어트를 해야 한다. 하지만 과감하게 전에 만났던 사람들을 천천히 멀리하면서 도움이 될 거 같은 새로운 사람들과 관계를 맺어간다는 것이 쉽지 않다는 것이다. 당연하다. 도움이 될 거 같은 사람인지, 사기꾼인지 사람 보는 안목이 없는데 어떻게 새로운 사람들과 관계를 맺어 갈 것인가? 유명하고, 인지도 있는 사람들이 사기 치는 세상이다 보니 더더욱 관계 형성이 힘든 것이다. 이런 현실이다 보니 제대로 된 전문가를 찾기가 쉽지 않기에 코칭 받는 사람들을 필자가 세계 최강 책임감인 150년 a/s, 관리, 피드백을 해준다는 것이다. 당신이 그토록 찾던 멘토가 되어 준다는 것이다.

감정컨트롤을 잘하는 첫 번째 정답은? 아무나 만나지 말라. 철저하게 도움이 되는 사람을 만나라! 나에게 부정적인 영향을 주는 사람이 아닌 긍정적이고 도움이 되고 나를 성장 시켜주는 사람을 철저하게 만나라.
감정컨트롤을 잘하는 두 번째 정답은? 150년 a/s, 관리, 피드백을 해주는 전문가를 찾아라!
감정컨트롤을 잘하는 세 번째 정답은?
www.방탄자기계발사관학교.ccom 에서 코칭을 받아라! 감정컨트롤도 스펙이다! 시스템 안에서 학습, 연습, 훈련 해야 된다.

★ 세상 모든 심리학자가 말하는 감정컨트롤 최고의 방법!

지금 어떤 시대인가? 4차 산업시대, 5G 시대, 앞으로 10G 시대, 메타버스 시대, 챗GPT시대... 어떤 시대가 올지 상상 그 이상으로 빠르게 변하는 시대다. 몸은 편해지는 데 정신은 점점 더 힘들어지고 있다. 시대는 5G 속도로 변해 가는데 리더, 사람들의 정신 상태 변화가 2G 속도보다 느리다 보니 지금 사람들 감정컨트롤이 되지 않아 정신상태, 감정 상태가 심각하다. 4차 산업 시대면 4차 감정컨트롤인 방탄 리더 감정컨트롤로 업데이트해야 한다. **다음은 사람들의 정신상태, 감정 상태 변화를 깨닫게 해주는 시대 흐름 내용이다.**

5년간 서울서 77% 급증한 병원은?
최근 5년 사이 서울 시내 소아청소년과의원 10곳 중 1곳이 문을 닫았는데 반면에 77%나 늘어난 병원도 있었습니다. 서울연구원 분석에 따르면 저출생 영향 등으로 소아청소년과는 2017년보다 12.5% 감소했습니다. 개인병원 진료과목 20개 중 영상의학과와 소아청소년과 두 곳만이 5년 전보다 줄어들었는데요. 반면 가장 큰 증가율을 보인 진료과목은 정신건강의학과로 같은 기간 무려 77%나 늘었습니다. 이어 마취통증의학과, 흉부외과가 그 뒤를 이었습니다. 정신의학과의 증가세는 스트레스와 우울증을 비롯해 청년층에서 나타나는 취업 문제, 미래에 대한 불안 등 심리적 어려움을 겪고 있는 환자 수가 꾸준히 증가하고 있기 때문으로 분석됐습니다.
(자료 : 서울연구원, 건강보험심사평가원) <SBS 뉴스>

정신, 감정 변화 현실!
어떻게 대처할 것인가?

서울 개인병원 주요 진료과목 증감률
단위: %, 2017년 대비 2022년 기준 증감 상·하위 과목

진료과목	증감률
정신건강의학과	(302개→534개) 76.8
마취통증의학과	41.2
흉부외과	37.5
신경과	37.2
재활의학과	36.0
이비인후과	5.7
가정의학과	3.5
산부인과	2.2
영상의학과	-2.4
소아청소년과 (521개→456개)	-12.5

자료: 서울연구원, 건강보험심사평가원

정신의학과가 폭팔적으로 증가하고 있다는 것이 사람들의 정신, 감정의 환경이 더 안 좋아지고 있다는 것을 알 수 있다. 앞으로 더하면 더했지! 덜하지는 않는다는 것이 팩트다. 이런 환경 속에서 감정컨트롤을 잘하려면 시대 흐름, 변화를 알아야만 시대에 맞는 감정컨트롤을 잘

할 수 있는 것이다.

스마트폰 없는 시대 때의 감정컨트롤 방법으로는 감정컨트롤을 할 수 없는 건 당연하다. 자신의 감정이라는 휘발유 차량에 경유를 넣는 거와 같다. 감정컨트롤 원인, 감정컨트롤 환경, 감정컨트롤에 영향(자존감, 멘탈, 습관, 행복, 자기계발, 코칭)을 미치는 것들을 알아야만 감정컨트롤 방법, 공식을 배웠을 때 시너지 효과가 나는 것이다. 이제는 감정컨트롤은 선택이 아닌 필수다. 그 무엇보다 감정컨트롤 능력을 키워야 한다. 감정컨트롤 학습, 연습, 훈련을 통해 익혀야 되는 것이다.

다음은 세계에서 심리학자들이 말하는 감정컨트롤 하는 최고의 방법을 깨닫게 해주는 내용이다.

신경과학자이자 행동경제학자인 니르 이얄에 따르면, 우리가 감정에 휩쓸리는 결정적인 이유는 감정의 특성을 제대로 알지 못하기 때문이다.

감정은 항상 해소되길 원한다. 외롭다는 감정은 친구에게 연락하게 만들고 지루하다는 감정은 여행을 가게 만든다.

그런데 흥미로운 것은 그 감정이라는 것의 수명이 생각보다 길지 않다는 것이다. 심리학자들은 감정이 생겨났다가 사라지는 것을 "충동 서핑"이라고 부르는데, 해소되기를 원하는 불편한 감정은 파도처럼 크게 튀어 올랐

다가 얼마 가지 않아 사라지기 때문이다. 감정의 수명은 길어야 10분에 불과하다. 하지만 10분 후에도 그 감정이 사라지지 않는다면 그 감정이 사라지지 않도록 우리 자신이 붙들고 있기 때문이다.

그래서 어떤 감정이 생겨나면 그 감정이 완전히 사라질 때까지 다른 일을 하면 좋다. 화가 날 때는 산책을 하고 외로울 때는 즐거운 영화를 보고 지루할 때는 달리기를 하는 것이다. 감정과 뒤엉켜 싸우지 마라. 감정은 붙들 수록 그 힘이 더 커진다.

하지만 감정을 딱 10분만 저 혼자 흘러가도록 내버려 두면 더 이상 아무런 힘도 없게 된다.

<신경과학자 니르 이얄>

"안 좋은 감정이 생겼을 때 10분 동안 다른 일에 집중해야 한다."라는 세상에서 가장 좋은 방법, 공식이라도 화가 났을 때, 안 좋은 일이 생겼을 때 떠올리면서 실천하는 리더, 사람이 몇 명이나 될까? 20,000명 심리 상담, 코칭 하면서 알게 된 것은 1,000명 중 10명도 하지 못 한다는 것이다.

안 좋은 감정, 화가 날 때 다른 일에 10분 집중하기 위해서는 감정컨트롤 7가지 요소(방탄 리더십, 자존감, 멘탈, 습관, 행복, 자기계발, 코칭)를 평상시 꾸준히 학습

연습, 훈련을 하고 있어야 가능하다는 것이다. 리더라면 더더욱 리더 감정컨트롤 7가지 학습, 연습, 훈련을 해야 한다.

다시 한 번 정리를 하면 리더가 감정컨트롤을 잘하려면 감정컨트롤 방법, 공식 보다 선행해야 될 것이 리더 감 정컨트롤 7가지 요소라는 것이다.
(방탄 리더십, 자존감, 멘탈, 습관, 행복, 자기계발, 코 칭)

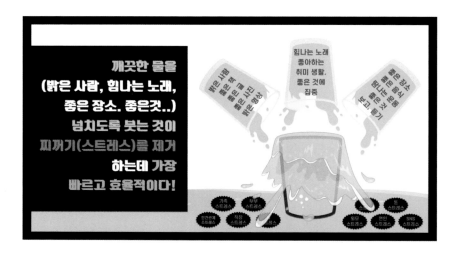

깨끗한 물을 (밝은 사람, 힘나는 노래, 좋은 장소. 좋은것..) 넘치도록 붓는 것이 찌꺼기(스트레스)를 제거 하는데 가장 빠르고 효율적이다!

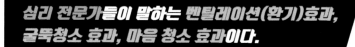

심리 전문가들이 말하는 벤틸레이션(환기)효과, 굴뚝청소 효과, 마음 청소 효과이다.

벤틸레이션: 환기라는 뜻으로 굴뚝 청소를 떠 올리면 된다. 굴뚝이 막혀 있으면 연기가 밖으로 나가지 않고 집 안으로 들어와 집이 엉망이 된다. 그래서 꽉 막힌 감정을 그때 그때 뚫어줘야 문제가 생기지 않는다.

심리 전문가들이 말하는 벤틸레이션(환기)효과,
굴뚝청소 효과, 마음 청소 효과이다.

스트레스 관리란? 사람, 환경, 상황
으로 생긴 안 좋은 감정(연기)을
바로 환기 시킬 수 있어야 한다.

말은 쉽죠!!!
순간 열 받고 짜증나고 화나는데...
멘자붕(멘탈, 자존감 붕괴)이 왔는데...
그 순간 깨끗한 물을 넘치도록 붓는다?
(밝은 사람, 힘나는 노래, 좋은 장소. 좋은것..)
벤틸레이션(환기)을 한다?
이론을 모르는게 아닙니다!

♥스트레스 환기하세요!♥

안 좋은 상황이 벌어졌을 때...
안 좋은 감정이 생길 때...
멘붕이 왔을 때...
스스로 환기를
잘 하는 방법 없나요?

♥스트레스 환기하세요!♥

"세계 최초" 공개!

"스트레스 관리"
"스트레스 환기"

"최고의 방법!"

♥스트레스 환기하세요!♥

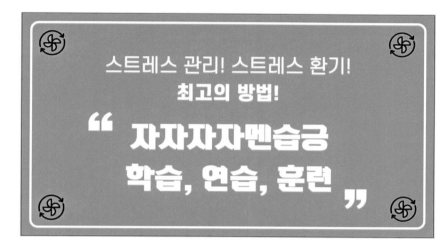

스트레스 관리! 스트레스 환기!
최고의 방법!
" 자자자자멘습긍
학습, 연습, 훈련 "

 Only One 자자자자멘습긍 창시자

왜! 스트레스 관리, 스트레스 환기
최고의 방법이
자자자자멘습긍인가?

 [자존감, 자신감, 자기관리, 자기계발, 멘탈, 습관, 긍정]

왜! 스트레스 관리, 스트레스 환기
최고의 방법이 자자자자멘습긍인가?

20,000명 심리 상담, 코칭으로 알게 된 스트레스 환기 방법!
스트레스를 받았을 때 안 좋은 감정(연기)이 생긴다.
안 좋은 감정(연기)를 초고속으로 환기 시켜 주는 것이
자자자자멘습긍이다.
자자자자멘습긍을 꾸준히 평상시에 학습, 연습, 훈련을 하는 것이
스트레스 환기 학습, 연습, 훈련을 하는 것이다.

세상에서 중요한 것들은 7가지 기둥으로 되어 있다!

- 자연 7개 기둥: 태양, 물, 땅, 바람, 동물, 태풍, 식물
- 자동차 7개 기둥: 운전습관, 엔진, 바퀴, 핸들, 브레이크, 엑셀, 사이드미러
- 뇌 호르몬 7개 기둥: 생활습관, 엔도르핀(쾌감 자극), 세로토닌(행복),
　　　　　　　　　　 도파민(의욕, 열정, 동기), 아드레날린(신체능력),
　　　　　　　　　　 멜라토닌(수면), 옥시토신(사랑)
- 몸 7개 기둥: 자기관리 습관, 뇌, 눈, 머리, 장기, 팔, 다리
- 사랑 7개 기둥: 사랑 습관, 맞춰가려는 행동, 존중, 인정, 배려, 자존심
　　　　　　　　 내려놓기, 이기는 것보다 지려는 마음

세상에서 중요한 것들은 7가지 기둥으로 되어 있다!

- 인간관계 7개 기둥: 인간관계 습관, 존중, 이해, 맞춰가려는 행동, 말투, 만만하게 보이지 말자, 인연 끊을 사람 빨리 끊자.
- 일 7개 기둥: 일하는 습관, 하고 싶은 일은 아니지만 하고 싶은 일을 찾기 위한 디딤돌이라는 마음, 전문성, 프로정신, 있으나 마나 한 존재가 아닌 대체 불가능한 존재, 제2의 가족, 월급
- 행복의 7개 기둥: 자존감, 자신감, 자기관리, 자기계발, 멘탈, 습관, 긍정

스트레스 관리, 스트레스 환기 잘 하는 7개의 기둥
자자자자멘습긍

- 출처: 《나다운 방탄멘탈》 최보규 -

Only One 자자자자멘습긍 **창시자**

20,000명 심리 상담, 코칭으로 알게 된 자자자자멘습긍 학습, 연습, 훈련!
(종이책 150권, 전자책 250권 총 400권 출간으로 검증된 자기계발 전문가)

> 평생 함께 해야 되는 스트레스
> 한번 풀면 그때뿐이지만
> 스트레스 관리, 환기 방법을 알면
> 스트레스는 독이 아니라 득이 된다.

우주 최강 책임감!
'세계 최초' 150년 a/s, 피드백, 관리 시스템
인스턴트 인연이 아닌 손 뻗으면 닿는 인연!
몸, 머리, 마음 케어를 해주는
자자자자멘습긍 주치의가 되어 드립니다.

BULLETPROOF LEADER MILITARY ACADEMY

방탄리더사관학교
최보규 참모총장

지금처럼이 아닌 지금부터 살게 해주겠습니다.
때를 기다리는 사람이 아닌 때를 만들어가는
사람으로 변화시켜 주겠습니다.
세상에는 최보규 코칭전문가 보다
코칭을 잘 하는 사람 많습니다.
하지만 세상에서 최보규 코칭전문가 만큼
함께 하는 사람을
자립할 수 있을 때까지 케어해주는 사람은 없을 것입니다!

최보규 방탄리더사관학교 참모총장

Class 7. 리더 인간관계과
- 리더는 천재지변 인간관계가 아닌 천재일우 인간관계를 해야 한다.

★ 인간관계 고.틀.선.편 깨기! 20,000명 심리 상담, 코칭으로 알게 된 방탄 인간관계!
20,000명 심리 상담, 코칭을 해보면 99% 사람들이 인간관계가 가장 힘들고 어렵다고 한다. 상담, 코칭 해보면 빠짐없이 나오는 말 중에 0순위 질문은 "인간관계를 어떻게 하면 잘할 수 있고 인간관계에서 오는 스트레스를 덜 받을 수 있는 방법이 없는지요."라는 말이다.

99%가 위와 같은 질문을 하면 최보규 방탄인간관계 전문가는 1,000명이면 1,000명에게 첫 번째 대답은 늘 같다.

- 상담 내용
"OOO님 단언컨대 인간관계를 잘 하는 방법, 인간관계에서 오는 스트레스 덜 받는 방법은 없습니다. 혹시나 인간관계 잘 하는 방법을 알면 저도 좀 알려 주세요!

20,000명 심리 상담, 코칭 하면서 알게 된 인간관계를 잘 하는 사람들의 방법 아닌 방법을 말해 달라고 하면

인간관계를 잘하기 위해 끊임없는 인간관계 학습, 연습, 훈련을 해야 된다는 것입니다. 방법을 알려고 하는 것은 인간관계의 정답을 바라는 것입니다.

인생에서 정답이 없는 것 중에 0순위가 인간관계인데 인간관계 잘하는 방법, 정답을 바라니 인간관계 시작부터가 잘못 되었다는 것입니다. 인간관계 잘하기 위한 0순위 태도는 인간관계 잘하는 방법을 바라기 전에 '인간관계는 숨을 거두는 날까지 끊임없이 학습, 연습, 훈련해야 된다.'라는 태도로 나다운 인간관계, 나다운 인간관계 기준을 만들어가야 된다는 것입니다. 세계 인구 80억 명이면 80억 가지 성격이 있다는 것을 인정하는 것이 시작입니다."

인간관계 상담 스토리텔링을 한마디로 정리를 하면 세상, 현실, 주위 사람들이 말하는 인간관계 기준이 아닌 시행착오, 대가 지불, 인고의 시간을 통해 나다운 인간관계 기준을 만들어 가야 된다는 것이다. 나다운 인간관계를 전문용어 6글자로 표현을 하면 방탄 인간관계다.

인간관계란?
인간관계(人間關係,interpersonal relationship) 또는 대인관계(對人關係)는 둘 이상의 사람이 빚어내는 개인적이고 정서적인 관계를 가리킨다. 이러한 관계는 추론,

사랑, 연대, 일상적인 사업 관계 등의 사회적 약속에 기반을 둔다.

<위키백과>

방탄 인간관계란? 인생에서 90%의 스트레스는 인간관계 속에서 오기에 인간관계 면역력을 높여 인간관계속 스트레스로부터 자신 정신, 몸을 보호하여 스트레스로 인해 시간, 돈 낭비를 줄여 행복한 인생을 만들어 갈 수 있다. 4차 산업 시대에 맞는 4차 인간관계는 방탄 인간관계이다.

<최보규 방탄인간관계 창시자>

코로나 때 주로 어떤 사람들이 확진되었는가? 면역력이 높은 사람들은 걸리지 않거나 무증상인 사람이 많았다. 면역력이 떨어진 사람과 연세가 있는 사람들이 확진되는 경우가 많았다. 그래서 국가적으로 확진 예방을 위해 1차 ~ 5차까지 백신을 맞았다.

한마디로 방탄 인간관계는 인간관계에서 오는 90% 스트레스에 대한 면역력을 높이는 것이다. 현재 인간관계를 하고 있는 사람들과 앞으로 인간관계를 해야 될 사람들에게 받는 스트레스로부터 자신 정신, 몸을 보호하기 위해서 인간관계 면역력을 높여야 된다.

백신을 1차 ~ 5차까지 맞았듯 인간관계 백신인 방탄 인간관계 백신 또한 주기적으로 맞아야 한다. 인간관계 바이러스는 평생 따라다니기 때문이다.

방탄자기계발사관학교에서 세계 최초로 방탄 인간관계 백신을 만들었다. 세계에서 방탄 인간관계 백신을 보유한 곳은 방탄자기계발사관학교뿐이다.

인간관계를 잘하고 인간관계 속에서 스트레스 관리를 잘 하기 위해서는 방탄 인간관계 백신을 주기적으로 학습, 연습, 훈련하여 인간관계 면역력을 높여 인간관계 바이러스로부터 정신과 몸을 지킬 수 있다.

더 늦기 전에 인간관계 면역력을 높이는 방탄 인간관계 7가지 백신 학습, 연습, 훈련 시작하자.

리더의 방탄 인간관계 백신

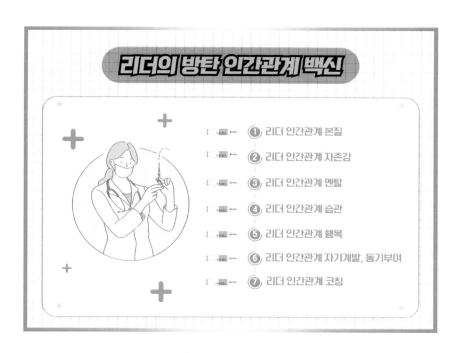

① 리더 인간관계 본질

② 리더 인간관계 자존감

③ 리더 인간관계 멘탈

④ 리더 인간관계 습관

⑤ 리더 인간관계 행복

⑥ 리더 인간관계 자기계발, 동기부여

⑦ 리더 인간관계 코칭

★ 천재지변 인간관계? 천재일우 인간관계?

사람은 사람 곁에서 태어나서 사람 곁에서 떠난다. 한마디로 태어나서 숨을 거두는 날까지 사람과의 관계, 인간관계는 끊임없이 해야 되고 겪는다는 것이다.

20,000 심리 상담, 코칭 하면서 알게 된 것은 천재지변 인간관계를 하는 사람들이 90%이고 천재일우 인간관계를 하는 사람들이 10%라는 것을 알게 되었다.

천재지변[天災地變]?
하늘의 재앙과 땅의 움직임. 즉 자연 현상에서 비롯된 재앙이나 변고. 대표적인 불가항력이 천재지변인데, 천재(天災)가 장마, 가뭄, 태풍 등이라면 지변(地變)은 지진, 해일 등을 가리킨다.
<지식백과>

천재지변은 사람이 막을 수 없기에 평상시 준비, 대비, 예방으로 인해 피해를 최소한으로 줄이는 방법뿐이다. 하지만 평상시 준비, 대비, 예방을 하지 않는다면 피해는 상상 그 이상이 된다. 예를 들어 태풍이라는 천재지변이 온다고 가정했을 때 슈퍼컴퓨터로 태풍 진로 방향을 예측하여 피해가 생길 수 있는 상황들을 점검하고 준비를 해야 한다.

인간관계 또한 인간관계 슈퍼컴퓨터(인간관계 전문가, 인간관계 책, 최보규 방탄인간관계 전문가, 방탄인간관계 7단계 시스템 교육, 인간관계 교육, 인간관계 영상... 등)가 말해 주는 인간관계 진로 방향을 학습, 연습, 훈련하여 인간관계 속에서 오는 90% 스트레스로 인한 시간, 돈 낭비를 최소한으로 줄일 수 있는 것이다.

하지만 20,000명 심리 상담, 코칭, 방탄 인간관계를 창시하면서 알게 된 것은 천재지변 인간관계를 하는 사람들은 자신이 사람들을 힘들게 하는지 모른다. 이론적으로 알면서도 세계 인구 89억 명 중에 79억 명은 평상시 준비, 대비, 예방을 하기 위한 인간관계 학습, 연습, 훈련을 하지 않는다는 것이다.

"굳이 인간관계 배워야 하나? 시간의 흐름 속에서 경험, 나이가 들면서 알아가는 거지."라는 태도로 살아가다가 믿었던 사람에게 배신, 이별(연예 인간관계), 이혼 직전 혹은 이혼 후(사랑 인간관계), 사람 때문에 힘든 상황이 닥쳤을 때만 인간관계 책, 인간관계 영상, 인간관계 교육, 인간관계 전문가를 찾으니 인간관계 수준이 높아지지 않고 늘 그 때뿐이고 90% 사람들은 인간관계 속에서 받는 상처들을 반복한다.

아픈 만큼 성숙해야 하는데 아픈 만큼 상처가 더 깊어지는 사람들이 더 많다.

"아픈 만큼 성숙한다."라는 말이 통영 되는 사람들은 자존감이 높은 사람이고 자존감이 낮은 90%의 사람들은 아픈 만큼 더 상처가 깊어진다는 것을 명심하자!
인간관계 속에서 아픈 것을 극복하기 위한 학습, 연습, 훈련을 꾸준히 했을 때 방탄 인간관계로 진화하는 것이다.

방탄 인간관계 창시한 필자도 세계 인구 80억 명중 그 누구보다 인간관계를 잘 한다고 자부하는 사람인데도 그 누구보다 인간관계 관련 책, 영상, 교육... 등을 학습, 연습, 훈련하고 있다. 끝이 없는 인간관계 공부를 꾸준히 해도 잘 할까, 말까인데 인간관계를 학습, 연습, 훈련 안 한다는 것은 극단적으로 표현을 하면 인생을 대충 산다는 거와 같다는 것이다.

천재지변 인간관계를 한마디로 정리를 하면 천재지변은 대비, 준비를 해도 피해를 입는다. 그래서 천재지변 인간관계를 하는 사람들은 도움이 안 되고 피해만 주는 인간관계를 하는 사람이라고 할 수 있다.

평상시에 인간관계 학습, 연습, 훈련을 하지 않으면 상대방을 존중, 인정, 배려를 할 줄 몰라서 상대방을 힘들게 하는 것 또한 천재지변 인간관계를 하는 사람이다.

천재지변 인간관계를 하는 90% 사람들은 천재일우 인간관계를 하는 사람이 오길 바란다. 하지만 자연의 이치, 세상의 이치인 유유상종이라는 말이 있듯이 내가 천재지변 인간관계를 하고 있다면 천재지변 인간관계를 하는 사람을 만날 확률은 100%이고 천재일우 인간관계를 하는 사람을 만날 확률은 800만 분의 1(로또 1등 당첨 확률)이다.

천재일우[千載一遇]?
좀처럼 만나기 어려운 기회. 천년에 한번 만날 수 있는 사람.

<지식백과>

천재일우 인간관계를 하는 사람들의 가치관은 "내가 좋은 사람이 되지 않으면 절대로 좋은 사람은 오지 않는다. 내가 좋은 사람이 되어 좋은 사람이 올 수 있도록 끊임없이 인간관계 학습, 연습, 훈련하자!"라는 태도로 인생을 살아간다는 것이다.

커피 한잔하면서 곰곰이 생각해 보자! 자신 주위 사람들 중에 좋은 사람이 있는지. 좋은 사람의 기준이라고 하면 많은 기준이 있겠지만 방탄 인간관계 창시자로써 한 문장으로 정리해 주겠다. "당신은 제가 좋은 사람이 되고 싶도록 만들어요."라는 마음을 들게 하는 사람이 좋은 사람이면서 천재일우 같은 사람이다.

머릿속에 떠오르는 그런 사람이 있는가? 천재일우가 온 것이다. 어떻게 해서든 시간, 돈을 투자해서라도 평생 함께해야 한다. 천재일우 인간관계를 하고 있는 사람 주위에는 천재일우 인간관계를 하는 사람들이 100% 있다. 천재일우 인간관계를 초고속, 10G 속도로 배우는 방법은 천재일우 인간관계를 하고 있는 사람과 늘 함께 하는 것이고 천재일우 인간관계를 주기적으로 배우는 것이다. 천재일우 인간관계를 PT, 코칭, 강의, 교육하는 기관은 세계에서 방탄자기계발사관학교 뿐이다.

천재지변 인간관계, 천재일우 인관관계

NAVER	천재지변 ▾
하늘의 재앙과 땅의 움직임. 즉 자연 현상에서 비롯된 재앙이나 변고.	

NAVER	천재일우 ▾
좀처럼 만나기 어려운 기회. 천년에 한번 만날 수 있는 사람.	

방탄인간관계 | 천재지변 인간관계 ✎

천재지변은 대비, 준비를 해도 피해를 입는다. 천재지변 인간관계를 하는 사람들 또한 도움이 안 되고 피해만 주는 인간관계를 하는 사람이라고 할 수 있다. 인간관계 학습, 연습, 훈련을 하지 않아서 상대방을 힘들게 하는 것 또한 천재지변 인간관계를 하는 사람이다.

방탄인간관계 | 천재일우 인간관계 ✎

천재일우 인간관계를 하는 사람들 0순위 가치관이 있다. 그 가치관은 "내가 좋은 사람이 되지 않으면 절대로 좋은 사람은 오지 않는다. 내가 좋은 사람이 되어 좋은 사람이 올 수 있도록 끊임없이 인간관계 학습, 연습, 훈련하자!"라는 태도로 인생을 살아가고 도움을 주는 사람이다.

천재지변 인간관계, 천재일우 인관관계

방탄인간관계 | 천재지변 인간관계 ✎

나의 1%를 위해서
상대방에게 100%가 손해가 가도 상관없어!
나는 문제가 없어! 사람들이 문제야!
당신이 잘하면 잘 할게!
당신이 먼저 존중, 인정, 배려를 하면 할게!
안 된다! 안 된다! 오늘도 안 된다!
혼자 잘되고 잘 살자!

방탄인간관계 | 천재일우 인간관계 ✎

나의 1%는 누군가에게
살아가는 이유 100%가 될 수 있어!
어제보다 나은 사람이 되어주기 위해서
오늘도 배우고 행동한다!
해보자! 해보자! 오늘도 해보자!
함께 잘되고 잘 살자!

다음은 천재지변 인간관계를 컨트롤하고 천재일우 인간 관계를 어떻게 해야 되는지 깨닫게 해주는 스토리텔링이다. 참고해서 나다운 천재일우 인간관계를 만들어 가길 바란다.

인디언 노인과 양파
멕시코시티의 어느 시장에서 인디언 노인이 양파 스무 망을 팔고 있었습니다. 마침 한 남자가 노인에게 양파 한 망이 얼마인지 물었습니다. 노인은 한 망에 2달러라고 이야기했고 그는 많이 사면 깎아줄까 싶어서 다시 두 망은 얼마인지 물었습니다. 하지만 가격은 4달러였고 세 망을 사도 역시 6달러였습니다. 행여나 모두 사면 저렴할까 싶어서 물었더니 노인은 의외의 대답을 했습니다.
"죄송하지만, 전부 다는 팔 수 없습니다."
그 남자는 의아해하며 인디언 노인에게 이유를 물었습니다. "여기에 양파만을 팔기 위해 나와 있는 것이 아닙니다. 제 인생에 즐거움을 찾기 위함인데, 온종일 사람을 만나는 일이 얼마나 즐거운 일인지 모릅니다. 그 삶을 살기 위해 양파를 팔고 있는 것입니다. 그러니 이 양파들을 한 번에 팔아치운다면 내 즐거운 하루도 끝이 나지 않겠습니까?"
노인은 장사를 일찍 접고 집에 돌아가기보다 상인으로

86

서 시장의 즐거움을 누리는 것이 중요하다는 사실을 알
고 있었습니다.

인생에서 효율성만을 좇다 보면 더 큰 것을 잃어버릴
때가 있습니다. 우리 삶에서 누릴 수 있는 작은 행복은
때로는 돈보다 더 가치 있습니다.

오늘의 명언
보람된 일은 그것 자체가 기쁨이며,
사람이 거기에서 얻는 이익에 대한 기쁨이 아니다.
- 알랭 -
<따뜻한 편지 2457호>

※. 방탄 인간관계 전문가의 스토리텔링 설명.
일반 사람들은 노인과 양파 스토리텔링을 들으면 이런
현실적인 말을 할 것이다. " 돈만 많이 벌면 되는 거지.
빨리 팔고 집에 가서 쉬든가 다른 일을 해서 돈을 더
벌면 될 것을 시간 낭비하고 있네."
방탄 인간관계 전문가가 해석을 하면 노인과 양파 스토
리텔링에서 노인이 말했던 "양파만 파는 것이 아니라는
것이 아니다."라는 말이 인간관계와 비슷하다. 20,000명
심리 상담, 코칭 하면서 알게 된 것은 인간관계가 누구
보다 힘들다고 하는 사람들은 인간관계를 오로지 자신

기준에서 "편한 사람이냐! 불편한 사람이냐!"라는 태도로 1차원 적으로만 보기 때문에 힘든 것이다. 인간관계를 잘하는 사람들은 노인이 양파를 파는 이유가 여러 가지듯 인간관계 속에서 여러 가지(**희로애락 속에서 느끼는 행복감, 성취감...**)를 얻을 수 있다는 것을 알기에 인간관계 속에서 받는 90% 스트레스 관리를 잘 한다는 것이다.

세상에 잡초는 없습니다.
고려대학교 명예교수인 강병화 교수는 1984년부터 전국의 산과 들을 다니며 야생 들풀을 채집했습니다.
그 결과 100과 1,220 초종에 속하는 4,439종을 수집해왔으며, 1991년에 야생 초본 식물자원 종자은행을 설립하는 큰일을 해냈습니다. 이 일로 언론에서 취재를 왔는데, 기사의 끝에 실린 강병화 교수의 말이 가슴에 와닿습니다.
"17년간 전국을 돌아다니며 제가 경험한 바에 따르면 이 세상에 '잡초'는 존재하지 않습니다. 밀밭에 벼가 나면 그게 바로 잡초고, 보리밭에 밀이 나면 그 역시 잡초가 되며 산삼이라 해도 엉뚱한데 나면 잡초가 되는 것입니다. 잡초란 단지 뿌리를 내린 곳이 다를 뿐입니다. 들에서 자라는 모든 풀은 다 이름이 있고 생명이 있습니다."

잡초 같은 사람은 누구도 없습니다. 각자 꼭 필요한 곳, 있어야 할 곳이 있습니다. 단지, 뿌리내려야 할 자신의' 자리'를 찾지 못했을 뿐입니다. 지금이라도 자신의 자리를 찾으세요. 자신만의 가진 능력과 재능으로 튼튼한 뿌리를 내려서 아름다운 인생을 살아보세요.

오늘의 명언
당신의 존재는 우연이 아니다.
특별한 재능을 받았으며, 사랑을 받으며 세상에 나왔다.
- 맥스 루카도 -
<따뜻한 편지 2460호>

※. 방탄 인간관계 전문가의 스토리텔링 설명.
잡초 같은 사람은 없다. 다만 잡초같이 생각하고 잡초같이 행동하는 사람만 있다. 사람은 사랑받기 위해 태어났다. 하지만 사랑 받는 것도 자격이 있다는 것이다. 사랑받을 인간관계를 해야 한다. 자신은 사랑받을 만한 인간관계를 하지 않으면서 사랑만 받기를 바라는 인간관계는 상대방이 아닌 자신이 자신을 힘들게 한다는 것을 잘 모른다. 인간관계 속에서 사랑받고 싶은가? 사랑 받을 수 있는 말투, 표정, 행동을 먼저 학습, 연습, 훈련해서 익혀라. 사랑받는 것도 자격이 있고 스펙이다. 학습, 연습, 훈련으로 익히는 것이다.

가난한 사람 96%가 가진 습관

만약 습관처럼 만나오던 친구가 나의 인생에 악영향을 미치고 심지어 나의 지갑 사정마저 안 좋게 만든다면 그 인연을 계속 이어가야 할까?

<습관이 답이다>의 저자 토마스 C. 콜라는 350명이 넘는 부자와 가난한 사람들의 습관을 5년 동안 연구했다. 그에 따르면 가난한 사람들 중 96%가 부정적이고 해로운 사람들과 어울려 지냈다.

만약 당신의 주변 사람들이 세상을 부정적으로 바라보고 자신의 처지를 냉소하며 노력하지 않고 무기력한 모습을 보인다면 그 모습 그대로 우리 자신에게 전파될 가능성이 높다. 우리 뇌에는 '거울 신경 세포'가 있어 자주 만나는 사람의 행동을 따라 하게 되기 때문이다.

반면, 멘토가 있다고 응답한 부자들 93%는 자신들이 이룬 막대한 부가 멘토 덕분이라고 밝혔다.

이들은 멘토로부터 좋은 습관을 배웠다고 말한다. 저자는 인간은 누구나 가깝게 지내는 사람으로부터 영향을 받기 때문에 성공을 추구하고 낙관적이며 목표 지향적이고 긍정적인 사람들과 어울릴수록 이루고자 하는 성취에 도움이 될 것이라고 조언한다.

여기서 잠깐, 좋든 싫든 친구나 멘토 하나 없다고 좌절할 필요는 없다. 자수성가한 부자들의 58%는 다른 성공한 사람들의 전기를 읽는다고 응답했다.
당신이 습관적으로 만나는 사람은 어떤 사람인가? 당신의 그 습관에 답이 있다.

<습관이 답이다>

※. 방탄 인간관계 전문가의 스토리텔링 설명.
앞에서 언급했듯이 천재일우 인간관계를 하고 싶다면 자신이 천재일우 인간관계를 해야 하는데 너무 어렵기에 가장 쉬운 방법인 천재일우 인간관계를 하는 사람과 함께 하는 것이라고 말을 했다. 너무도 쉬운 방법인데 20,000명 심리 상담, 코칭 하면서 알게 된 것은 천재일우 같은 사람이 되려는 마음이 없으면 아무리 옆에 천재일우 인간관계를 하고 있는 사람을 만나더라도 알아보지 못한다는 것이다. "그냥 좋은 사람이네"라는 말을 하며 한번 스쳐 지나가는 바람처럼 받아들인다는 것이다. 천재일우 인지도 모르고 기회를 날려 버리는 사람들이 많다. 기회를 날려 버리는 사람들 특징 중 하나는 "기회는 오는 거다."라는 착각 속에 살고 있다는 것이다. 그러니 기회를 보는 안목이 없으니 기회가 왔는지도 모르고 또 다른 기회를 기다린다. 기회가 오기만을 기다리다가 인생이 끝난다. 기회는 오는 것이 아니라 만들어 가는 것이다. 기회는 사람이다.
기회라는 사람은 어떤 사람을 좋아할까? 자신이 좋아

하는 인간관계 유형이 있듯이 기회라는 사람도 좋아하
는 사람이 있다. 그런 사람에게 간다는 것이다. 성은 기,
이름은 회라는 사람은 어떤 사람을 좋아하는지 당신은
알고 있다. 단지 게을러서 그런 사람이 되고 싶지 않은
것뿐이다. 더 늦기 전에 기회라는 사람이 좋아하는 사람
이 되기 위해서 방탄자기계발사관학교에서 방탄 인간관
게 학습, 연습, 훈련을 하자! 방탄 인간관계 PT를 받자!

세상에서 가장 같이 일하기 힘든 사람은 가난한 사람이
다. 자유를 주면 함정이라고 한다. 작은 비즈니스를 하
자고 하면 돈을 벌지 못한다고 한다. 큰 비즈니스를 하
자고 하면 돈이 없다고 한다. 새로운 일을 시작하자고
하면 경험이 없다고 한다. 전통적인 것을 시작하자고 하
면 레드오션이라고 한다. 혁신적인 것을 하자고 하면 다
단계라고 한다. 신규 사업은 자신이 전문가가 아니라고
한다. 함께 상점을 운영하자고 하면 자유가 없다고 한
다.
그들은 공통점이 있다. 구글에 물어보기 좋아하고, 자신
과 생각이 같은 가난하고 희망이 없는 자에게 의견을
구한다. 그들은 대학교수보다 더 많은 생각을 하고 맹인
보다 더 적게 행동한다. 그들에게 무엇을 할 수 있냐고
물으면 대답하지 못한다. 당신의 심장이 뛰는 것보다 빠
르게 행동하고 생각하는 것보다 그냥 하라! 가난한 사람

들은 1가지 행동으로 실패한다. '그들은 기다린다.'
너에게 직접 물어보라 당신은 가난한 사람인가?
<알리바바 창업자 마윈>

※. 방탄 인간관계 전문가의 스토리텔링 설명.
방탄 인간관계에서는 돈으로 가난한 사람으로 나누지
않고 가난한 사람은 몸, 머리, 마음이 가난한 사람으로
나눈다.
Body(몸)가난한 사람들이 하는 인간관계는 혀가 좋아하
는 음식에 집착을 하고 몸이 좋아하는 음식은 쳐다보지
않는다. 혀가 좋아하는 음식은 몸을 병들게 하여 유병장
수하게 만들고 몸이 좋아하는 음식은 혀가 싫어하지만
몸이 건강해져 무병장수한다. 한마디로 몸 관리, 자기
관리, 건강관리를 못하는 사람들은 몸이 가난한 사람들
이다.

Head(머리)가난한 사람들이 하는 인간관계는 자신, 자
신 분야 배움, 변화, 성장을 게을리 한다. 책 보는 시간
은 1분도 아깝다 생각하지만 자극적(게임, 술, 담배, 도
박, 중독성 강한 것들)인 것에는 10시간도 모자라다.
"이 정도 면 됐다."라는 태도로 자신 분야 더 이상 업그
레이드하려 하지 않는다. 자신이 게을러서 뒤처지는지도
모르고 세상 탓, 현실 탓, 사람 탓만 한다.

Mind(마음)가난한 사람들이 하는 인간관계는 존중, 인정, 사랑, 배려를 해주기 전에 먼저 받으려고만 한다. 마음이 가난한 사람들이 하는 인간관계는 늘 힐링, 위로, 격려, 위안만 바라고 힐링, 위로, 격려, 위안되는 강의, 영상, 글에 집착을 한다.

힘든 상황을 극복 하려는 행동보다는 누군가가 힘든 마음을 알아주기만을 바란다. 그래서 마음이 가난한 사람들은 외로움을 그림자처럼 평생 데리고 다닌다.

인간관계 다이어트해야 될 유형들
상대방 자존감 배터리를 깎아 먹는 사람
상대방 멘탈 배터리를 깎아 먹는 사람
그 사람을 만나고 나면 좋은 기분보다는 안 좋은 기분이 드는 사람
앞에 없는 사람 허담을 잘 하는 사람
약속 시간 개념이 없어 늘 늦는 사람
즉흥적으로 약속을 잡는 사람
사람들에게 예의가 없는 사람
존중, 인정, 배려가 없는 사람
감정조절을 못해서 화를 잘 내는 사람
상대방을 깎아내리는 말투가 있는 사람
주제 파악을 못하고 허세가 심한 사람
실수를 반복적으로 하는데 미안해하지 않는 사람

자랑을 많이 하는 사람

말속에 무식함이 넘치는 사람

배우려 하지 않는 사람

감사를 모르고 당연하게 받아들이는 사람

사과를 주둥이로만 하고 행동으로 하지 않는 사람

늘 핑계를 입에 달고 사는 사람

탓을 많이 하는 사람

늘 부정적이고 "안돼! 안된다! 못해"라는 말을 자주 하는 사람

비꼬는 말을 자주 하는 사람

"너가 돼겠냐! 넌 안 돼! 너 돈 없잖아."

부정적인 비교를 많이 하는 사람

근심, 걱정을 과도하게 많이 하는 사람

거짓말을 잘 하는 사람

삼성(진정성, 전문성, 신뢰성)이 느껴지지 않는 사람

.

.

인간관계 다이어트 유형들 80억 가지가 있다.
〈방탄 인간관계 창시자〉

20,000명 심리 상담, 코칭 하면서 알게 된 것은 90% 사람들이 인간관계 다이어트 유형들을 모르는 사람이 없다는 것이다. 그런데 인간관계 다이어트를 시도는 하

지만 대부분 인간관계 다이어트 요요현상을 100% 겪고 인간관계 다이어트를 실패한다. 한번 실패하고 나면 다시는 인간관계 다이어트 시도를 하지 않는다. 그 이유가 무언지 아는가? 방탄 인간관계 전문가로서 알려 주겠다.

상대방을 먼저 보기 전에 인간관계 다이어트할 사람 유형들 80억 가지 중 자신은 몇 개나 가지고 있는지를 먼저 봐야 한다. 자신이 인간관계 다이어트 유형 80억 가지 중 10억 가지를 가지고 있는데 어떻게 인간관계 다이어트를 하겠는가? 자신이 바라는 좋은 인간관계 유형들이 있을 것이고 싫어하는 인간관계 유형들이 있을 것이다. 그런데 아이러니하게도 20,000명 심리 상담, 코칭을 해보면 상대방보다 자신이 안 좋은 인간관계 습관이 10배는 더 많다는 것이다. 그런데 사람들은 자신이 바뀌지 않으면서 상대방이 바뀌길 바라고 자신은 좋은 사람이 아니면서 좋은 사람만 오기를 바란다.

가장 인간관계를 못하는 사람 중 한 사람은 자신은 그런 사람이 아니면서 그런 사람을 바라는 것이다. 그런데 안타깝게도 99% 사람들이 인간관계를 그렇게 하고 있다는 것이다. "내가 좋은 사람이 되기는 힘들고 시간, 돈이 많이 들어가니 좋은 사람이 왔으면 좋겠다. 나 정도면 인간관계 다이어트 대상이기보다는 인간관계가 준수하지!"라는 태도로 인생을 살아가니 인간관계가 힘든 건 당연한 것이다.

자신은 좋은 인간관계를 하고 있다고 생각하는 사람들을 상담해보면 착각 속에 살고 있는 사람들이 많다는 것을 알았다. 자신은 꽤 괜찮은 사람이라고 생각하는 사람들이 의뢰로 많다. 괜찮은 사람의 기준을 제대로 알지 못해서 벌어지는 현상이다.

인간관계를 잘하고 인간관계 속에서 받는 스트레스를 줄이기 위해서는 방탄 인간관계의 본질인 "내가 좋은 사람이 되어 좋은 사람이 올 수 있도록"라는 태도로 끊임없이 인간관계 학습, 연습, 훈련해야 한다. 리더의 인간관계는 누구보다 철저하게 인간관계 다이어트를 잘해야 한다.

20,000명 심리 상담, 코칭 하면서 인간관계를 못하고 인간관계에 스트레스를 잘 받는 사람들에게 가장 큰 문제는 인간관계 방법, 공식에 집착한다는 것이다. 또한 인간관계를 못하는 사람들의 근본적인 문제를 알게 되었다. 시중에 있는 유명한 사람들의 인간관계 방법, 공식이 중요하지 않다고 말하는 것이 아니다.

인간간계 방법, 공식은 분명히 존재한다. 하지만 인간관계 본질인 7가지를 선행하지 않으면 인간관계의 악순환은 평생 반복할 것이다.

인간관계를 잘 하기 위한 리더의 방탄 인간관계 7단계 (리더 방탄 인간관계 본질, 리더 인간관계 자존감, 리더 인간관계 멘탈, 리더 인간관계 습관, 리더 인간관계 행복, 리더 인간관계 자기계발, 리더 인간관계 코칭)시스템 학습, 연습, 훈련 시작으로 리더를 따르는 가족, 팀원, 조직체원들에게 천재지변 인간관계를 하는 사람이 아닌 천재일우 인간관계를 하는 사람이 되어 주자.

방탄리더사관학교

BULLETPROOF LEADER MILITARY ACADEMY

리더 소통과

리더의 방탄 소통 1

방탄 소통1 방탄 관리! CLASS 1

소통에 답이 있는가? 정답은 답이 아니다.
해결책도 답이 아니다. 공감만이 답이다.

BOOKK

최보규 방탄소통 전문가

<저자 최보규>

소통에 답이 있는가? 정답은 답이 아니
다. 해결책도 답이 아니다. 공감만이 답
이다. 공감력을 키우는 방탄 소통.

100

Class 8. 리더 소통과

- 소통에 답이 있는가? 정답은 답이 아니다. 해결책도 답이 아니다. 공감만이 답이다. 공감력을 키우는 방탄 소통.

★ 소통 고.틀.선.편 깨기! 소통에 답이 있는가? 정답은 답이 아니다. 해결책도 답이 아니다. 공감만이 답이다.

소통(疏通)이란? 막히지 아니하고 잘 통함. 뜻이 서로 통하여 오해가 없음.

<국어사전>

20,000명 심리 상담, 코칭 하면서 알게 된 것은 90%의 사람들이 소통을 다음과 같이 알고 있다.
"소통이란 대화가 잘 되는 겁니다."
"소통이란 불편함이 없이 편안함을 느끼는 것입니다."
"소통이란 상대방 말을 잘 들어주는 것입니다."
"소통이란 호응을 잘 해주는 것입니다."
"소통이란 서로 즐거움을 느끼는 것입니다."
"소통이란 스타벅스 커피숍에서 커피 시켜놓고 마음에 드는 사람과 수다를 떠는 것입니다."
"소통이란 상대방이 힘들 때 공감해 주는 것입니다."

"소통이란 331법칙입니다.(3분 들어주고 3번 호응하며 1분 들어준다)

"소통이란 내가 하고 싶은 말보다 상대방이 듣고 싶어 하는 말을 하는 것입니다."

"소통이란 뒷담화를 하지 않는 것입니다."

"소통이란 나와 상대방에게 부정적인 에너지를 느끼게 해주는 말을 하지 않는 것입니다."

"소통이란 상대방 입장에서 말을 하는 것입니다."

.

.

.

.

대중매체, SNS, 유튜브, 책, 글... 수많은 소통 방법, 공식들이 하루만 해도 몇백 개, 몇천 개를 접한다.

그런데 아이러니하게도 소통의 방법, 공식을 이론적으로는 대부분 알고 있는데 스마트폰 없는 시대보다 더더더 소통을 못한다. 더 많은 사람들과 소통을 하기 위해 만든 SNS에 올라오는 쇼윈도 행복을 보면서 자신 행복 불통, 자신 인생 불통이 되어 우울함 시대가 되어가는 안타까운 현실로 인해 소통이 아닌 불통의 악순환이 반복으로 대한민국 행복률이 세계 꼴찌다. 어떻게 하면 나다운 소통(공감) 방법을 만들어 행복률을 올릴까?

다음은 나다운 소통(공감)을 만들어 가기 위한 소통 고.
틀.선.편 깨기 위한 스토리텔링 내용이다.

어느 날 주인집이 김장하는 걸 도와줬어요. 배추를 다듬
고 남은 시들시들한 겉잎을 집사람이 주워서 가져가려
고 했어요. 배추 겉잎으로 겉절이도 해 먹고 시래기라도
해 먹으려고,
그런데 주인은 그 마음을 몰랐죠. 무심코 내뱉은 말이
"뭐 하려고 그래? 돼지 주려고 그래?" 그랬대요.
집주인은 그렇게 얘기해도 생각도 못 하겠죠. 그냥 흘린
말이니까.
그때 깨달은 게 나는 생각 없이 내뱉은 게 상대편 가슴
에는 평생 못을 박을 수 있구나. 그런 의도는 아니지만.
그게 첫 번째 깨달은 거였고요. 두 번째 깨달은 게 더
중요한 건데요. 상대편이 그런 의도로 해도 상처받으면
안 되는데 생각도 없이 한 말에 내가 상처받고 살 필요
가 없다. 상처를 주려고 해도 받으면 안 되는데, 그런
의도도 없는데, 내가 상처받을 필요가 없다.
더 중요한 것이 세 번째인데요. 그때 그 이야기를 집사
람이 그때 얘기했으면, 다 그만두고 돈 벌었을 거예요,
아마... 그런데 그때는 아무 얘기 안 하다가, 먹고 살 만
하니까 그 얘기를 하는 거예요.

같은 말이라도 고생할 때 하는 말은 아픔이 되는데 지나간 다음에 하는 말은 추억이 되더라고요. 그래서 말은 참 조심해야겠다. 말로 상처받을 필요 없구나. 말이라는 게 때가 있구나. 그걸 내가 그때 깨달았어요.

〈KBS 인간극장〉

위 스토리텔링이 주는 메시지를 정리를 하면 이렇다.

말을 조심하기 위해서, 상대방 입장에서 말을 하기 위해서, 상처가 되는 말을 하지 않기 위해서는! "상대방 입장에서 말을 해라?" 모든 소통 방법과 공식의 0순위는 "상대방 입장에서 말을 해라"라는 말을 많이 한다.

상대방 입장에서 말을 하기 위해서 어떻게 해야 할까? 상처가 되는 말을 들었다면 어떻게 해야 할까?

20,000명 심리 상담, 코칭 하면서 알게 된 것은 상처 주는 말을 잘 하는 사람들 특징, 사소한 말에도 상처를 잘 받는 사람들의 특징이 같다는 것을 알았다. 상처 주는 말을 잘하는 사람들 특징, 상처를 잘 받는 사람들 특징 중 0순위는 자존감과 멘탈이 낮으며 상처를 잘 주는 말 습관이 있고 상처를 잘 받는 습관이 있다는 것이었다. 또한 자신이 행복하지 않으면 상처 주는 말을 잘 하고 상처를 잘 받는다는 것이다.

한마디로 상처 주는 말을 잘 하고 상처 잘 받는 사람들 특징은 자존감과 멘탈이 낮고 상처 주는 습관, 상처받는 습관이 있으며 행복률이 낮다는 것이다.

20,000명 심리 상담, 코칭 하면서 알게 된 것은 사람들이 소통에 대해 공부하면서 늘 물어 보는 것이 있었다.

- 상담 내용
"소통 교육 100번, 소통 강의 100개, 소통 영상 1,000개, 소통 책 100권에 나와 있는 말 잘 하는 방법, 스피치 잘하는 공식, 소통 잘 하는 방법, 소통 잘 하는 공식들을 보고 교육받으며 실천해 봐도 그때뿐이고 시간과 돈 낭비만 됩니다. 어떻게 하면 말과 소통을 잘할 수 있을까요?"라는 하소연을 한다.

어떤 것이든 원인과 이유를 알아야만 해결이 되는 것인데 원인과 이유를 모른 체 단 시간에 효과를 보기 위해 방법과 공식만 맹신을 하니 안되는 게 정상이고 당연한 결과이다.
이 시점에서 이런 생각을 하는 사람들이 100%일 것이다. "방탄 소통, 방탄 공감 창시자님은 시중에 있는 수많은 말, 소통 잘 하는 방법, 공식이 틀렸다는 것인가요?"

오해하지 말고 들었으면 한다. 시중에 있는 수많은 말, 소통 잘 하는 방법과 공식들이 틀렸다고 말하는 것이 아니다. 분명히 방법과 공식은 있고 중요하다. 하지만 필자가 20,000명 심리 상담, 코칭 하면서 알게 된 팩트는 말 잘하는 방법과 공식을 제대로 효과를 보고 시너지 효과가 나오려면 선행되어야 할 것이 있다는 것이다.

시중에 있는 수많은 말과 소통 잘 하는 방법, 공식이 틀렸다고 말하는 것이 아니라 방법, 공식 보다 선행되어야 할 것을 하지 않으면 방법, 공식을 100년 동안 학습, 연습, 훈련을 하더라도 그때뿐이라는 것이다. 단순히 말하면 내용물은 그대로인데 포장지만 계속 바뀐다고 내용물도 바뀌는게 아니라는 것이다.

다음은 포장지 보다 내용물이 중요하다는 것을 깨닫게 해주는 스토리텔링이다.

생쥐가 한 마리가 있었다. 생쥐는 늘 고양이를 무서워하며 살았다. 마법사에게 찾아가 고양이의 천적인 개로 만들어 달라고 했다. 레드썬! 개의 모습이 되어 고양이 앞에 갔는데 또 무서움이 사라지지 않았다. 마법사에게 찾아가 호랑이로 만들어 달라고 했다. 레드썬! 호랑이의 모습이 되어 고양이 앞에 갔는데 또 무서움이 사라지지 않았다. 마법사에게 찾아가서 사람으로 만들어 달라고 했다. 레드썬! 사람의 모습이 되어 고양이 앞에 갔는데 또 무서움이 사라지지 않았다. 결국 생쥐를 도와줬던 마법사가 사람이 된 생쥐를 다시 본래의 생쥐를 만들어 주면서 이렇게 말했다. "너의 모습이 아무리 좋게 바뀌어도 생쥐의 가슴을 가지고 있는 한 그때뿐이다".

《마음을 밝혀주는 소금 1》 내용 각색

생쥐가 바뀌고 싶어 하는 것들은 포장지(겉모습)고 생쥐에 심장(내용물)은 방탄 소통의 본질인 방탄 소통 7단계라는 것이다.

한 번 더 말하고 싶은 것은 시중에 있는 수많은 말, 소통 방법, 공식보다 선행되어야 한 것이 방탄 소통 7단계가 선행되지 않으면 노벨상을 받은 사람, 유명한 소통 강사, 유명한 소통 장인, 유명한 소통 달인... 들 이 말하는 소통 방법, 공식은 스쳐 지나가는 바람이 되어 버린다는 것을 명심하자.

어떻게 하면 방탄 소통 핵심 요소 7가지를 학습, 연습, 훈련할 것인가? 당신이 그토록 찾고 있던 방탄 소통 요소 7가지 '세계 최초' 공개한다.

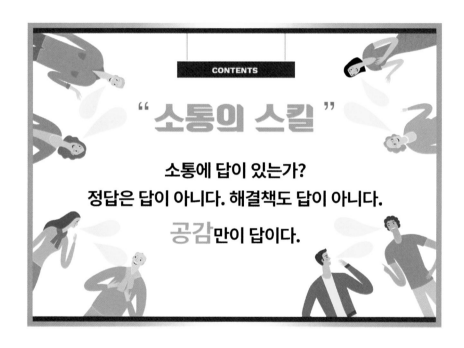

CONTENTS

" 소통의 스킬 "

소통에 답이 있는가?
정답은 답이 아니다. 해결책도 답이 아니다.

공감만이 답이다.

세계 인구 80억 명의 80억 가지 소통 방법이 있다. 나다운 소통(공감) 방법이 중요하다는 것이다. 나다운 소통(공감) 방법을 만들어 가기 위해서 다음으로 나오는 소통(공감) 스토리텔링들을 참고하길 바란다.

효도 해외여행 금지어 15계명

1. 아직 멀었나 금지
2. 줄 계속 서야 되냐 금지
3. 음식이 달다 금지
4. 음식이 짜다 금지
5. 겨우 이거 보러 왔나 금지
6. 버스에서 답답하다 금지
7. 조식이게 다냐 금지
8. 인상 쓰고 갑분싸(갑자기 분위기 싸해짐) 금지
9. 쇼핑하러 가서 눈치 주기 금지
10. 돈 아깝다 금지
11. 이 돈이면 집에서 해먹는 게 낫다 금지
12. 이거 무슨 맛으로 먹냐 금지
13. 이거 한국 돈으로 얼마냐 금지
14. 물이 제일 맛있다 금지
15. 덥다고 사람 많다고 한숨 쉬기 금지

※. 방탄소통 전문가의 스토리텔링 설명.

20,000명 심리 상담, 코칭 하면서 알게 된 것은 소통이 가장 안 되는 사람이 가족이었다. 가장 소중하고 사랑하는 사람의 말 한마디가 행복하게 하고 지옥을 경험하게 한다는 것이다. 가까운 사이일수록 거리 두기를 3배 더 해야 한다. 멘자(멘탈, 자존감)배터리를 가장 많이 소모시키는 매개체가 가족이 되어서는 안 되는데 멘자 배터리를 초고속 충전을 해줘도 모자랄 판에 가족의 사소한 말들로 인해서 1순위로 멘자 배터리를 소모 시킨다. 그러다 보니 상담을 해보면 "남들 보다 우리 가족들과의 소통이 더 안 된다."라고 하소연하는 사람들이 많았다. 가족의 멘자를 초고속 충전해주는 소통, 말을 자주 해야 한다. 멘자 초고속 충전을 해주는 소통이 방탄 소통이다.

평균적으로 사람들이 전화 통화하는 시간.

전화 건 사람	전화받은 사람	평균 통화시간
남자	남자	59초
아들	엄마	50초
아들	아버지	30초
남자	여친	1시간 20분
여자	여자	5시간 30분
여자	남친	1분 20초

유부남	여친	6시간 43분
유부녀	남친	10분
남편	마누라	3초
마누라	남편	부재중 15통

※. 방탄소통 전문가의 스토리텔링 설명.

위와 같은 소통 시간이 나오는 이유가 여러 가지가 있겠지만 20,000명 심리 상담, 코칭 하면서 알게 된 것은 소통을 하는 3가지 부류로 나눌 수 있다.

첫 번째 부류, 상대방이 자신에게 도움이 되고 필요한 사람. 대화 시간, 소통 시간 가는 줄 모르고 대화를 하고 싶어진다.

두 번째 부류, 상대방이 자신에게 도움도 되지 않고 싫은 사람. 소통 1초도 하고 싶지 않은 사람.

세 번째 부류, 상대방이 자신에게 친분도가 없고 그냥 아는 사람. 친분도가 있더라도 대화하기 싫은 사람. 기본 예의만 지키기 위해 소통하는 사람.

방탄 소통 학습, 연습, 훈련으로 첫 번째 부류가 될 수 있다.

이혼의 원인이 되는 4가지 대화방식, 행복한 부부의 비결/최성애 심리치료사

동시대의 러시아의 대문호인 톨스토이(1828~1910)가

있고 그다음에 도스토예프스키(1821~1881)가 있죠. 그 둘은 비슷한 시대에 살았고요. 또 그리고 공통점도 참 많았어요. 둘 다 아주 나이가 어린 연하의 부인을 만났거든요. 톨스토이는 16살 연하고, 도스토예프스키는 26살 연하의 아내를 만났습니다. 그리고 또 둘 다 굉장히 열렬하게 사랑을 해서 결혼을 했고 또 그 아내들이 아주 그 내조를 잘 해줬던 그런 부부들이에요. 그런데 이 두 작가가 서로 결혼에 대해서는 굉장히 다른 결혼관을 자기네 작품에다가 표현을 했습니다.

예를 들어서 톨스토이는 안나 카레니나라는 그 유명한 작품 속에서 뭐라고 썼냐 하면 "행복한 결혼은 모두 비슷하나 불행한 결혼은 저마다의 불행한 모습이 있다." 이렇게 썼고요. 도스토예프스키는 <카라마조프의 형제들>중에 나오는 "사랑하는 법을 성실히 배우고 오랫동안 연마해야 한다. 순간이 아니라 영원히 사랑해야 함으로" 이렇게 썼습니다.

둘의 결혼관이 이렇게 달랐는데 결과는 어땠을까요? 톨스토이와 그 아내 소피아의 결혼은 정말 말년에 너무나 불행하고 결국은 정말 아주 비극적으로 끝났어요. 반면에 도스토예프스키의 결혼 실제 결혼 생활은 아주 정말 행복했고 죽은 후에도 정말 그 사랑이 계속될 수 있다고 많이 회자가 될 정도로 전혀 다른 모습을 보였거든요.

그렇다면 현대 과학은 둘 중에 어느 결혼관 어떤 결혼에 대한 믿음이 더 맞았는가를 또 검증을 해준 그런 학자가 있습니다. 그들이 살던 시대부터 100여 년이 지나서 미국에 있는 존 가트맨 박사(관계 연구의 전문가, 미국의 심리학자)라는 분이 있는데요. 그분은 관계의 과학 혹은 관계 아인슈타인이라고 할 정도로 어떤 인간관계도 다 마찬가지지만 특히 부부 관계에 대해서 거의 50년 가까이 3600쌍의 부부를 실제 관찰하고 다 숫자로 서로 상호작용을 검사를 해서 그 사람 연구했습니다.

그 방법에 의하면 부부가 서로 상호작용하는 것을 3분만 봐도 이 사람들이 행복하게 살지 아니면 이혼을 할지를 95% 이상 정확도로 맞춥니다. 너무나 놀랍지 않아요? 이런 과학자의 연구 결과는 누구를 판정승을 내렸을까요? 연구 결과 톨스토이는 틀렸고 도스토예프스키의 결혼관은 맞았다고 판정이 났습니다.

행복한 부부 관계의 핵심 요인 3가지!

1. 높은 우호감

행복한 부부들은 첫째로 서로가 서로를 잘 알고 서로에 대한 호감과 친밀감이 많다는 거예요. 이걸 뭉뚱그려서 우리가 이제 우호감이라고 하는데요. 그러면 우호감을 어떻게 쌓았을까요? 그 도스토예프스키의 부인이었던 안나가 쓴 회고록을 보면 처음 도스토예프스키의 작품 속기사 역할을 했는데요.

속기사 역할을 하는 동안에 앞으로 남편이 될 사람의 눈 빛깔은 어떻고 눈 크기가 어떻고 머리 색깔은 어떻고 이 사람이 어떤 걸 좋아하고 싫어하고 하는 걸 소상히 알고 있더라는 거예요. 이런 것을 가트맨 박사는 사랑의 지도라(서로에 대해 잘 아는 행복한 부부들)고 그랬거든요. 그러니까 우리 마음속에도 뭘 좋아하고 뭘 싫어하고 어떤 거에 대한 꿈이 있고 어떤 걸 두려워하는지 그런 마음의 지도가 있는데 행복한 부부들은 그런 걸 잘 알더라는 거죠.

그런데 불행한 부부들 결국은 파국이나 혹은 이혼으로 끝나는 부부들을 보면 서로에 대해서 별로 관심도 없고 또 안다 하더라도 아주 잘못 알거나 엉뚱하게 오해를 하는 경우가 많다고 하거든요. 그래서 우호감이 중요합니다. 그다음에는 행복한 부부들은 서로 다가가는 대화, 조율이 잘 되는 대화를 합니다. 그런데 불행한 부부들은요. 다가가는 대화가 아니라 원수 되는 대화 혹은 멀어지는 대화 즉 상대의 대화에 상관없는 말을 하거나 아니면 상대의 말에 즉각 반박하거나 비웃는다는 거죠. 그래서 대화법을 보더라도 이 사람들 앞으로 관계의 미래가 어떻게 될지를 우리가 알 수가 있습니다. 그게 첫 번째 우호감 혹은 친밀감의 본질이에요.

2. 부드러운 갈등관리 방식

행복한 부부들은 또 하나의 그 굉장히 중요한 포인트가 있는데요. 살다 보면 서로가 성격도 다르고 가치관도 다르고 또 자라온 환경도 다르고 여러 가지가 다를 수밖에 없는데 그런 차이가 있을 때 갈등이 벌어졌을 때 행복한 부부들은 그 갈등을 조심스럽게 예의 바르게 부드럽고 얘기를 하는 데 비해서 관계의 폭탄이라고 하는 정말 그런 사람들을 보면 함부로 막 싸운다는 거죠.

네 가지 대화의 방식을 쓰면 94%는 이혼하게 된다.

이혼의 원인이 되는 4가지 대화 방식

1)비난

"당신은 도대체 어떻게 된 사람이 왜 맨날 이렇게 해?"

2)방어(변명)

"그러는 너는 뭘 잘했는데 왜 나만 뭐라 그래? 너도 그러잖아!"

3)경멸

"아이고 주제 파악이나 해라." 이런 식으로 상대를 얕잡아보거나 혹은 비웃거나 조롱하고 하인 취급하며 어린애 취급하는 경멸.

4)담쌓기

아예 대화도 안 하고 서로 없는 사람 취급하는 거. 눈 마주 보지 않고 그냥 전화기 꺼놓는다든지 아니면 전화하는 도중에 전화를 뚝 끊는다든지.

이런 방식을 쓰게 되면 아무리 처음에는 열렬히 사랑을 하더라도 결국은 그 관계는 끝나더라는 거죠. 끝날 때까지 엄청나게 고통스럽고 결국은 파국으로 끝난다는 거예요.

3. 꿈 이루기와 의미 공유

행복한 부부들은요 또 서로의 꿈을 알고 그 꿈을 서로 지지해 준다는 거예요. 그런데 불행한 부부들은 서로의 꿈을 모르거나 아니면 그것을 그냥 막거나 혹은 뭐 반대를 하거나 이런다는 거죠.

예를 들어서 도스토예프스키와 안나는요. 안나는 자기 남편의 작품이 처음에 알려지지 않았거든요. 그리고 남편이 빚도 많았고요 건강도 나빴고요. 정말 여러 가지 악조건에 있었음에도 불구하고 그 남편의 작품을 정말 열심히 자기가 세상에 알리기 위해서 남편이 죽은 후에도 살아있는 동안에는 뭐 여러 가지 비서 역할 편집자 역할 뭐 이런 역할을 다 해줬지만 돌아가신 후에도 그 작품을 널리 알리기 위해서 엄청나게 애를 썼어요. 그러니까 둘이 같은 꿈을 공유하고 그 꿈을 향해서 서로 도와준 거죠.

그런데 톨스토이의 경우는요. 종교에 귀의하면서 자기 재산도 다 노예들한테 주고 싶어 하고 소박한 시골 생활하는 꿈을 원했어요. 그러나 그 아내였던 소피아는 아이들이 13명이었거든요. 그러니까 애네들을 다 키워야 되는데 "당신이 재산 다 나눠주고 당신같이 그렇게 성인처럼 살면 애들은 어떻게 하냐" 아내와의 갈등으로 가출 후 객사한 톨스토이. 말년에도 행복하지 못했죠. 가트맨 박사가 말씀하시는 행복한 부부들은 서로의 꿈을 서로 공유하고 또 존중하고 지지해 준다.

그래서 우리가 이 두 실제 부부들의 모습을 보면서 그러면 우리 결혼 또 앞으로의 여러분들의 결혼은 우리가 어떻게 하면 행복하게 끌어갈 수 있을까?

행복한 결혼을 위한 3가지 실천사항!
매일 조금씩 자주 사랑과 관심 표현
가트맨 박사님은 어쩌다 한 번 크게 이벤트를 해주고 호감을 사고 존중을 하고 이러지 말고 매일 조금씩 매일 조금씩 자주 하라.
그래서 저희 부부는 어떻게 하냐면요. 저희 부부 둘 다 굉장히 바쁘고 둘 다 일도 굉장히 많고 하지만 우리는 아침에 일어나면 먼저 일어난 사람이 아직 자고 있는 사람한테 20초 손이나 발을 주물러 줍니다. "굿모닝 잘

잤어요?" 그 다음에 우리가 헤어질 때 서로 일하려고 각자 자기 일터로 가고 그럴 때 6초 포옹합니다. 그러고 나서 이제 일 끝나고 돌아왔을 때는 조금 여유가 있으니까 10초 포옹을 하죠. "오늘 하루 어떻게 지냈어요? 교통은 어땠어요? 날씨는 어땠어요?" 이런 식으로 10초 하고 나서 저녁 먹고 조금 여유가 있으니까 그때는 아침에 늦게 일어났던 사람이 이자 붙여서 10초 더 붙여서 30초 어깨나 손이나 발을 주물러주죠.

그러면서 하루에 있었던 일, 오늘 제일 좋았던 거, 제일 힘들었던 거 얘기합니다. 이렇게 5초, 10초, 20초 이렇게 조금씩이라도 자주 표현을 하게 되면 긍정성이 누적이 되고 쌓임으로써 갈등 상황이 벌어졌을 때 그렇게 격하게 정말 죽고 살기로 비난, 방어, 담쌓기 하면서 싸우지 않고 갈등에 대해서도 우리가 정말 예의있게 조심스럽게 부드럽게 얘기를 할 수가 있는 거죠.

그래서 사실 행복한 부부들은 서로가 꿈을 공유하거나 혹은 서로 믿고 지지해 주면요. 살다 보면 풍파가 있을 수 있잖아요. 예기치 못한 사고도 일어날 수 있고 또 뭐 실직이 되거나 몸이 아프거나 했을 때 여러 가지 풍파를 견뎌내더라는 거예요. 그게 바로 가트맨 박사가 찾아낸 그 행복한 부부의 비결이거든요.

다시 한번 복습을 하자면 첫 번째 서로에 대해서 관심을 가지고 좀 잘 알자. 그게 사랑의 지도 또 그걸 통해서 우리가 호감 존중을 쌓아가는 방식이다. 작게 조금씩 자주 해야 한다. 어쩌다 한 번 하는 게 아니라 그게 바로 우호감 쌓기 친밀감 키우기고요. 두 번째 긍정심이 많이 쌓이게 되면 서로 갈등 상황이 되거나 의견이 다를 때라도 함부로 싸우고 막말하지 않더라. 그래서 우리가 갈등을 잘 관리할 수 있게 되는 거고요. 끝으로는 서로의 꿈을 알고 그것을 같이 지지해 주고 같이 함께해 나아갈 수 있다면 오래도록 행복한 결혼을 잘 유지하면서 안정적인 결혼 생활을 할 수 있을 것입니다.

<유튜브 방송대 지식＋>

3600쌍의 부부를 50여 년 동안 연구 데이터베이스 존 카트맨 심리학박사.
부부가 서로를 바라보는 눈빛, 말하는 억양, 표정, 자세, 혈압, 맥박 관찰하여 이혼하는 부부와 해로하는 부부의 차이점 성격 차이가 아니었다.
부부 갈등은 성격차이, 나이 차이, 자녀 문제, 돈 씀씀이, 고부 갈등... 아니라 말투였다.

《인성이 실력이다》

※. 방탄소통 전문가의 스토리텔링 설명. 위 스토리텔링을 핵심만 정리해 주겠다.
- 행복한 부부 관계의 핵심 요인 3가지!
1. 높은 우호감
2. 부드러운 갈등관리 방식
3. 꿈 이루기와 의미 공유
- 이혼의 원인이 되는 4가지 대화 방식
1. 비난
2. 방어(변명)
3. 경멸
4. 담쌓기
- 행복한 결혼을 위한 3가지 실천사항!
1. 서로 관심을 갖고 사랑 표현 하자.
2. 매일 조금씩 자주 관심 표현 하자.
3. 서로의 꿈을 알고 지지해주자.

20,000명 심리 상담, 코칭 하면서 알게된 행복한 가정, 부부들, 불행한 가정, 부부들 가장 큰 차이점이 하나 있다는 것을 알았다. 그것은 스킨쉽이었다. 스킨쉽을 자주 한다고 행복한 가정, 행복한 부부 생활이 되는 건 아니지만 행복한 가정, 행복한 부부 생활을 꾸준히 하는 사람들 90%는 스킨쉽이 많았다는 것이고 불행한 가정, 불행한 부부 생활을 하는 사람들 특징이 스킨쉽이 없다는

것이다. 스킨쉽은 몸, 머리, 마음이 소통하는 것이다. 그래서 스킨쉽 횟수가 줄어든다는 것은 부부 소통이 단절되고 있다는 전조 증상이다. 부부 스킨쉽 말을 하면 100% 이런 말을 하는 사람들이 있다. "아내는 가족입니다. 가족끼리니 스킨쉽 하는 거 아닙니다."라고 말을 하면서 정색을 한다. 한 가지만 말하겠다. 다 그런거 아니지만 이혼한 부부 90%는 스킨쉽이 줄어들었다는 것을 명심하자! 그래서 필자가 부부생활에 가장 중요하게 생각하는 것이 스킨쉽을 강조하면서 우주에서 한명 뿐인 사랑하는 아내에게 아침 인사로 스킨쉽 쓰리콤보(사랑해, 뽀뽀, 앉아주며 고마워 말하기)를 하며 함께 외출 할 때는 수시로 손을 잡고 아내가 설거지 할 때 어깨 안마를 설거지 끝날 때까지 한다. 침대에서 잠들기 전 5분 껴안고 하루 마음 스킨쉽(하루 감사한 일 대화)을 한다. 하루 동안 몸, 머리, 마음 스킨쉽 100번을 숙제처럼 한다.

행복한 부부 관계의 핵심 요인 3가지, 이혼의 원인이 되는 4가지 대화 방식, 행복한 결혼을 위한 3가지 실천사항 공통점이 무엇인지 아는가? 이것이 선행되어 있지 않으면 아무리 좋은 방법도 소용이 없다는 것이다. 그것은 자존감이다. 남편 자존감, 아내 자존감이 플러스가 되어 부부자존감이 높아야만 방법과 공식들이 시너지 효과를 보는 것이다. 한마디로 행복한 부부 생활을 하고 싶다면 남편 자존감, 아내 자존감이 높아질 때 부부 자존감이 높아져서 행복한 부부생활이 되는 것이다. 그래서 단언컨대 소통의 시작은 자신의 자존감에서 부터 시작 된다는 것이다. 소통을 잘 하고 싶은가? 자신의 자존감부터 높여라!

소중한 사람을 진심으로 대하는 두 가지 태도
"꼭 내가 먼저 말을 해야 알아" 폭발 직전까지 참았다가 무심코 내뱉은 한마디에 우리는 천국과 지옥을 왔다 갔다 한다.
이런저런 방법으로 애를 써보지만 관계가 회복될 것 같지 않을 때, 게다가 상대방의 행동에서 도무지 바뀔 기미가 느껴지지 않을 때 도대체 어떻게 해야만 하는 걸까? 300만 부 베스트셀러 심리상담사 '고코로야 진노스케' 그는 이 문제에 대해 깊이 연구했고 그 해결책을 한 권의 책에 모두 담아냈다.

"사실 저는 이혼 경력이 있습니다."
제가 심리상담사가 된 계기는 이러한 가정 문제 때문이기도 하죠. 그래서 재혼한 지금의 아내와는 싸움 한 번 하지 않을 거라 믿었었는데 그건 작은 희망 사항에 지나지 않더군요. 저는 인간관계에 대한 책도 여러 권 썼고 현재 수천 명 앞에서 강의를 하고 있지만 여전히 소중한 사람과 싸우거나 갈등을 만들어내는 분위기를 조성하기도 합니다. 그만큼 힘든 게 인간관계인 것 같아요. 그런데 그 과정 가운데 한 가지 변하지 않는 진실을 깨닫게 되었는데 여러분 모두가 이 사실을 잊지 말았으면 합니다. 사람은 각자 생각하는 방식이 다르다는 것 그래서 상대방에게 내 마음을 몰라준다는 불만을 느낄 때는 잠시 멈춰서서 이렇게 생각해 봐야 합니다. '아니야. 다시 생각해 보자. 그가 내 마음을 모르는 게 아니라 단순히 서로의 인식 차이일 수도 있는 거잖아?' 안타깝게도 사람 사이에는 늘 갈등이 생깁니다. 이것을 당연하게 받아들이는 게 먼저입니다. 상대방은 나와 다른 타인이니까요. 이 사실을 받아들이고 난 후에야 비로소 서로에 대한 차이를 좁혀갈 수 있습니다. 대화를 통해서요. 우선 속마음을 숨김없이 표현해야 합니다. "말하지 않아도 알겠지"라고 단정지으면 오해를 불러일으키게 되거든요. 속마음을 표현하는 것은 상대방의 결점이나 행동을 지적하거나 비난하는 게 아니라 "내 방식대로 봤을 때 나는 당신의 태도를 보고 당신이 나를 무시한다고 느껴져서 서운했어" 이렇게 자신의 내면 상태를 고백하는 것입니다. 하지만 자신의 솔직한 마음을 표현하더라도 공감을 받지 못하는 경우가 있는데 그럴 땐 이렇게 생각해 보세요.

'그 사람이 나를 무시하는 게 아니라 뭔가 다른 이유가 있을지도 몰라.' 한 분은 아내와 함께 외식을 한 적이 있습니다. 그때 제가 이렇게 물었어요. "여기가 유명한 맛집이래요. 맛있지 않아요?" 근데 제 기대와는 다른 반응이더군요. "그냥 보통이에요." 모처럼 기분내러 나왔는데 나와 함께 있는 게 즐겁지 않나 싶어 솔직히 섭섭해지더라고요. 그러자 시무룩한 제 표정을 본 아내가 이렇게 말하는 게 아니겠어요?

"저는 당신과 있으면 언제나 즐거워요. 단지 제 입맛에 맞지 않을 뿐이에요." 그때 깨달았죠. 원하는 반응이 나오지 않아도 나의 존재가 부정당하는 것은 아니구나. 그러니까 공감을 얻지 못했을 때 섭섭하다고 느낀 나머지 제 멋대로 오해해서 망상하는 일만은 하지 말아야 합니다. 솔직하게 내 마음 표현하기 그리고 공감을 바라되 망상에 사로잡히지 말기. 건강한 인간관계를 유지하기 위해서는 이 두 가지를 반드시 기억하세요. 소중한 사람을 진심으로 대하면서 "나한테 왜 그래요?"라고 외치는 일이 더 이상 없기를 바랍니다.

《나한테 왜 그래요?》 〈유튜브 스터디언〉

※. 방탄소통 전문가의 스토리텔링 설명.
소중한 사람들, 가장 가까운 사람들이 가장 착각하는 것

은 "말하지 않아도 알겠지. 가족인데, 남편인데, 아내 인데, 부모인데, 자녀인데, 소울 친구인데, 베스트 프렌드인데..."라는 것이다. 20,000명 심리 상담, 코칭 하면서 방탄소통PT를 할 때 늘 하는 말이 있다. 우주에서 말하지 않아도 아는 것은 단 하나뿐이다. 그것은 초코파이다. "말하지 않아도 알아요. 초코파이 정"

소통을 잘 하는 사람들은 감정표현을 잘 한다는 것이다. 모든 감정을 표현하라는 것이 아니다. 올바른 감정 표현을 해야 된다. 그러기 위해서는 감정 표현 학습, 연습, 훈련이 필요하다. 감정표현도 스펙이다. 학습, 연습, 훈련으로 익히는 것이다.

한 가족이 차를 타고 소풍을 갔다. 아들이 아빠에게 물었다. "아빠, 자동차 바퀴는 어떻게 돌아가는 거야?" 아빠는 자신이 배운 대로 복잡하게 설명했다. "연료가 연소하면서 발생하는 열에너지를 기계에너지로 바꿔 자동차가 움직이는 데 필요한 동력을 얻는데, 후륜자동차의 경우 클러치-변속기-추진축-차동기-액 셀축-후차륜 순서로 동력을 전달해 자동차를 움직인단다." 아들이 고개를 갸우뚱하더니 이번에는 엄마에게 물었다 . "엄마, 자동차 바퀴는 어떻게 돌아가는 거야?" 그러자 엄마는 단 한마디로 대답했다. "응, 빙글빙글!"

《상상하여? 창조하라!》

※. 방탄소통 전문가의 스토리텔링 설명.

소통에도 수준이 있는데 아빠는 자신 기준에서 전문적인 지식으로 소통하려했고 엄마는 자녀 눈높이에 맞춰서 소통을 했다. 소통 눈높이가 중요하다고 말을 하는 것이다. 전문성으로 소통해야 되는 상황, 대상이 상대방 눈높이에 맞춰 소통해야 될 상황과 대상이 있다. 상황과 대상에 맞춰 소통하기 위해서는 항상 판단력이 빨아야 한다. 단순히 말을 하면 눈치, 융통성, 통찰력...등이 있어야 한다. 눈치, 융통성, 통찰력을 어떻게 높일 것인가? 그 답은 《리더의 방탄 소통 1 ~ 7》 보면 알게 된다.

무례함은 죗값을 치른다.

피도 눈물도 없어야 성공한다고? 틀렸다. 무례한 사람은 죗값을 치르게 되어 있다. 책 《무례함의 비용》의 저자 크리스틴 포레스의 말입니다. 그는 이렇게 덧붙입니다. 내가 20년 동안 스타트업부터 <포춘> 500대 기업까지 조사한 결과 회사에서 무례한 일을 당한 피해자는 다음과 같이 행동한다.

63%가 가해자를 회피하느라 노동시간을 허비했다.
80%가 사건을 걱정하느라 노동시간을 허비했다.
47%가 노동시간을 고의로 단축시켰다.
66%가 실적이 하락했다. 이렇게 무례함을 용인할 경우

개인, 조직, 사회에 막대한 손실이 발생합니다.

개인의 실행력과 창의력을 파괴하고 조직의 성과를 좀먹죠. 여기서 무례함이란? 다른 사람들이 막돼먹었다거나 모욕적이라고 인식하는 말과 행동을 뜻합니다. 예를 들어 자료조사를 제출했더니 오탈자 같은 사소한 문제로 "누가 이따위로 일하래? 정신 똑바로 안 차려? 다시 해 와!"라며 폭언하거나 비아냥거리며 무례하게 구는 사람들을 겪어본 적 있으실 겁니다. 이런 말을 들으면 열심히 하려는 의욕도 꺾이고 화가 나서 일에 집중도 못 하게 되죠.

반면 정중한 조직은 더 높은 성과를 냅니다. 구글, 마이크로소프트 등 창의적인 기업이 정중함을 중요한 인사관리 원칙으로 삼는 이유도 바로 여기에 있습니다. 이런 의문이 들 수도 있습니다. "아니 정중한 건 좋지. 근데 정중하다고 내 승진이 빨라지나? 일 처리만 빨리 하면 되는 거 아니야? 잘해주다가 호구 잡혀서 실적 뺏기고 괜히 내 승진만 늦어지면 어떡하고" 이렇게 많은 사람들이 일터에서만큼은 인정사정 보지 말아야 출세할 수 있다고 믿습니다. 하지만 크리스티는 정중한 사람들의 승진이 더 빠르고 실적도 좋다고 말합니다. 만약 당신이 동료의 도움을 받아야 하는 상황에 처했다면 친절한 사람에게 부탁하게 될까요? 조금 더 유능하지만 무례하고 폭언을 일삼는 사람에게 부탁하게 될까요?

1만 건이 넘는 직장 내 인간관계를 조사한 연구에 따르면 사람들은 협업을 위한 파트너를 선택할 때 이 사람이 '그 일을 잘할까?'보다. '그 사람과 함께 일하면 즐거울까?'라는 질문을 기준으로 삼는 것으로 나타났다고 합니다. 그래서 정중한 사람들은 보통 협업의 기회를 더 자주 얻게 됩니다. 만약 당신이 주위 사람들을 정중하게 대한다면 그들은 당신과 기꺼이 협력하며 일할 것입니다. 시간이 흐를수록 당신의 평판은 널리 퍼질 것이고 당신을 파트너로 선택하는 사람이 더 많아질 것입니다. 만약 무례한 사람이 성공했다면 그 사람은 무례함에도 불구하고 성공한 것입니다. 무례해서 성공한 게 아니라요.

무례한 사람들의 가장 큰 문제점은 자기 자신이 무례한 것을 모른다는 것입니다. 왜냐하면 누구나 성격의 사각지대가 있기 때문이죠. 저자는 우리가 크게든 작게든 의식하지 못하는 사이에 무례함을 저지른다고 말합니다. 나는 그냥 직설적으로 피드백을 준 것이라고 생각해도 상대는 심한 모욕이라고 느끼는 경우도 생각보다 많습니다. 그렇기 때문에 우리 모두는 정중한 사람이 되기 위해 의식적인 노력을 해야 합니다. 이를 위해 저자는 팀 동료나 부하직원, 상사에게 부탁해 360도 피드백을 받으라고 조언합니다. 자신이 놓친 사각지대를 외부에서 객관적으로 지켜보게 하는 것이죠.

세계적인 경영 코치 마셜 골드스미스도 이 방법을 이용했습니다. 그는 360도 피드백을 받은 뒤에야 자신이 직원들을 뒤에서 흉보는 습관을 가졌다는 사실을 깨달았습니다. 이 결과를 보고 소스라치게 놀란 골드스미스는 직원들에게 다시는 그러지 않겠다고 선언했죠.

만약 자신이 예전처럼 상대방에게 무례하게 말할 때 그것을 적발하는 사람에게 10달러를 주겠다고 약속했고, 제안을 한 첫 번째 날 정오까지 마셜은 50달러를 잃었습니다. 하지만 두 번째 날에는 30달러, 그다음 날에는 10달러만 잃게 되었습니다. 그리고 며칠 뒤에는 무례한 습관과 영원히 결별할 수 있었습니다. 이보다 더 간단한 방법은 기본으로 돌아가는 것입니다.
'부탁합니다', '고맙습니다'라고 말하는 것만으로도 우리는 정중한 사람으로 영향력을 키울 수 있습니다. 한 조사에 따르면 직장인들은 고맙다는 말을 1년에 평균적으로 한 번 한다고 합니다. 한 번 일하니 너무 적은 것 아니냐고요? 생각해 보면 우리는 진심을 담아 고마워하지 않습니다. 인사치레를 하는 수준이죠. 하지만 기본을 잘

지킨 아주 유명한 사람이 있습니다. 바로 마이클 조던입니다. 당시에도 슈퍼스타이자 살아있는 전설로 불리던 조던은 슈셉스키 감독과의 첫 번째 훈련이 끝나자 이렇게 말합니다.

"코치님, 30분 정도 개인 훈련을 하고 싶은데요. 저 좀 도와주시겠습니까?" 훈련이 끝나자 조던을 깍듯이 고맙다는 인사까지 잊지 않았죠. 감독은 이렇게 말합니다. "만약 그가 어이, 코치, 이리 좀 와봐!" 라고 소리쳤어도 나는 그리로 달려갔을 것이다. 하지만 나는 그 사소한 말 때문에 조던을 영원히 존중하게 되었다. 그리고 이 경험은 이후 내가 선수들을 이끄는 방식에 강력한 영향을 미쳤다.

우리는 남을 존중하는 언행과 마음가짐을 통해 자기 자신을 발전시킬 수 있습니다. 뿐만 아니라 사회생활에서도 영향력을 키울 수 있죠. 그리고 마이클 조던처럼 다른 사람들의 삶에 긍정적인 변화를 일으킬 수도 있습니다. 저자는 이렇게 말합니다. 당신은 남을 높여주는 사람이 되고 싶은가 아니면 짓누르는 사람이 되고 싶은가? 우리는 스스로 어떤 사람이 되고 싶은지 매 순간 선택하면서 살아가야 한다. 당신은 어떤 사람이 되고 싶은가?

《무례함의 비용》 〈유튜브 책그림〉

※. 방탄소통 전문가의 스토리텔링 설명.
무례한 사람 반대는 무례하지 않는 사람이 아니라 소통을 못하는 사람이다. 사람과의 소통을 원치 않고 일방적으로 자신의 기준에서만 감정을 표현하고 행동을 하니 무례한 사람이 되는 것이다. 사람과 소통을 하려는 사람은 마이클조던처럼 자신의 위치가 높을지라도 코치를 사람대 사람으로 보기에 소통이 잘 되고 코치 기억속에 영원히 좋은 사람으로 기억되는 것이다. 소통의 기본기는 인성이다.

끊어야 할 사람, 가까이 할 사람 | 에너지 뱀파이어를 멀리하기
'에너지 뱀파이어' 이들은 우리의 피를 노리는 것이 아니라 우리의 에너지를 뺏어갑니다. 겉보기에는 사람 좋아하고 활발하지만 이들을 만나고 나면 뭔가 이상하게 자존감이 떨어지고 피곤하죠. 누군가와 대화를 할 때마다 가슴이 답답해진다거나 대화를 마친 뒤 뭔가 불길하고 우울한 생각에 사로잡히게 된다면 상대방이 에너지 뱀파일 확률이 높습니다.

조은강 작가의 책 《왜 나는 진정한 친구 하나 없는 걸까》는 가까이 할 관계와 멀리할 관계를 알려줍니다. 어렵긴 하지만 찾다 보면 조용한 공간에서 말없이 함께

있어도 좋은 사람, 나에게 오롯이 편안한 관계를 찾을 수 있다면서요.

친구와 만나고 돌아오는 길 자신의 표정을 한번 바라보세요. 10년 더 늙어 보이거나 우울해 보이는지 아니면 생기와 활기가 넘치는지. 저자는 심리학자 주디스 박사가 정리한 에너지 뱀파이어 유형을 다음 같이 소개합니다.

언제나 우는 소리를 늘어놓는 사람.
남의 약점을 들치고 공격하는 사람.
연극배우처럼 자신의 현실을 극적으로 과장하는 사람.
영혼 없이 사교적인 사람.
지금 떠오르는 사람이 있지 않나요?
저자는 이렇게 말합니다. 한때 나는 나의 노력으로 이런 사람들을 바꿔 놓을 수 있을 것이라고 믿었다. 하지만 그것은 착각이고 오만이었다. 그들은 자신들의 삶의 방식과 태도, 역할에 전혀 불만이 없었고 바꿀 의사도 없었다. 당사자가 바뀔 의지가 없는데 제3자가 할 수 있는 것이란 없었다. 내 삶이 소중하다면 이러한 사람들로부터 내 삶을 보호하고 지키는 방법에 대해서도 알고 있어야 한다. 에너지 뱀파이어가 아닌 다른 좋은 사람들에게 관심과 시간을 쏟다보면 이내 내 삶에서 뱀파이어가

밀려나갈 것입니다. 그 외로도 거리를 두는 것이 나은 사람이 있습니다. 습관적으로 나와 반대편에 서는 사람 내가 A가 좋다고 말하면 별다른 이유 없이 자신은 B가 좋다고 말하는 사람입니다. 논쟁하는 걸 좋아해서 누구의 기후가 더 좋은지 일부러 싸우려 드는 거죠. 시간 개념과 예의를 상실한 사람, 자기에게만 특별대우를 기대하는 사람, 부탁할 일이 있을 때만 연락하는 사람까지 저자가 생각하는 에너지 뱀파이어들입니다.

《왜 나는 진정한 친구 하나 없는 걸까》에서 참 좋았던 문장은 다음이었습니다. 나를 채우는 게 먼저다. 누구에게나 한 번쯤은 그렇게 쓸쓸하고 공허한 시간이 찾아온다. 나 혼자서 광대한 우주와 대면하는 것 같은 시간 말이다. 다른 사람에게 기대서 다른 사람을 붙잡고 늘어지면서 쉽게 채우려고 해서는 안 된다. 아무리 듣기 좋아도 그들의 이야기는 그들의 이야기일 뿐 내가 직접 느끼고 체험한 것이 내 이야기가 되어야 한다. 완벽히 혼자인 것을 인정하고 책을 통해 아는 이 하나 없는 곳으로의 여행을 통해 스스로 내 안을 채우려고 노력했다. 이것은 나의 방법이었고, 당신에겐 또 당신만의 방법이 있을 것이다. 그렇게 자신을 채웠을 때에야 누구를 만나도 대등하게 교류할 수 있다. 상대에게 흡수되지 않는 것도 중요하지만, 굳이 상대를 내 편으로 끌어들일 필요

도 없다. 나는 나답게, 상대는 상대답게 존재하는 것이
더욱 중요하다. 때로는 친구의 도움이 필요하고 관계의
따뜻함이 필요하지만, 그에 앞서 나를 채울 줄 알아야
합니다. 책에서, 여행에서, 혹은 사색에서, 글쓰기에서
여러분만의 방법으로 스스로 공허함을 채울 줄 알아야
합니다.

다른 사람을 통해서 나를 채우려 한다면 어느 순간 에
너지 뱀파이어가 된 자신을 보게 될 것입니다. 상대의
말을 듣지 않고 내 감정, 내 우울함만 내뱉는 그런 사람
이 되는 거죠. 내 그릇을 먼저 만들고 어느 정도 채워넣
어야 상대의 말도 담을 수 있고, 상대에게 내 말도 건넬
수 있습니다.

《왜 나는 진정한 친구 하나 없는 걸까》

<유튜브 책그림>

※. 방탄소통 전문가의 스토리텔링 설명.

소통을 못하는 사람들 중에 자자자자멘습긍 뱀파이어들
이 많다. 상대방의 자존감, 자신감, 자기관리, 자기계발,
멘탈, 습관, 긍정에너지를 뺏어간다. 부정 뱀파이어가 아
닌 긍정 뱀파이어가 되어 부정, 우울을 뺏어가서 긍정을
채워 줄 때 상대방과 소통이 잘 되는 것이다. "안 좋은
기분이었는데 저 사람과 대화를 하면 좋은 기분이 들고
표정이 밝아지며 계속 소통하고 싶어져"라는 긍정 뱀파

이어가 되기 위해서 지금 무엇을 학습, 연습, 훈련할 것인가? 지금 이 책을 정독한다면 당신은 긍정 뱀파이어 초보딱지를 떼는 것이다.

보험 회사에서 일하는 롭은 입사 면접 중에 한 여성 지원자에게 자신의 강점을 말해 보라고 했다. 그녀는 "고객이 도움을 필요로 할 때, 언제라도 제가 그곳에 있다는 사실을 알아주길 바랐습니다. 그래서 '제가 도와드리겠습니다.'라고 말합니다. 그러면 고객에게 신뢰를 줘 상담이 더 잘됩니다."라고 대답했다.

그 뒤 롭은 팀원들과 어떻게 하면 고객들이 좀 더 마음의 평정을 찾을 수 있을지 이야기를 나누다가, 전화 응대 시 첫 인사말을 "저는 웬디입니다. 무엇을 도와 드릴까요?"라는 의문문에서 "저는 웬디입니다. 제가 도와 드리겠습니다."라는 평서문으로 바꿔 보기로 결정했다. 이 작은 차이는 큰 변화를 가져왔다. 사람들은 상담자가 일을 제대로 처리해 줄 거라는 신뢰감을 가졌다.

어느 날, 지사의 부사장인 켄이 고객에게 "안녕하세요, 저는 켄입니다. 시작하기 전에 여쭤 볼게요. 다친 분은 없습니까?"라는 인사말을 추가하자고 제안했다. 막 사고를 당해 우울한 마음으로 보험 회사에 전화를 걸었다고 상상해보라. 보험 회사 직원이 사고 규모나 보상 금액 등의 사무적인 일에만 관심이 있을 거라고 생각하면 더욱 우울해질 것이다. 그때 전화를 받은 사람이 주민등록번호 대신 "다친 분은 없습니까?"라고 걱정스럽게 묻는다면 어떨까? 고객의 안녕을 진심으로 걱정하는 말로 상담을 시작하면 서로를 존중하는 대화, 상대방의 선의를 신뢰하는 대화로 이끌 수 있었다.

변화가 시작된 지 얼마 지나지 않아 미처리 청구 건수가 평균 1만 건에서 4,000건으로 줄었고 고객 만족도는 올라갔다. 회사를 나가는 직원도 줄었고, 남아 있는 직원들의 충성도는 더욱 높아졌다.

《적응력이 실력이다》

※. 방탄소통 전문가의 스토리텔링 설명.
방탄 소통의 정의가 "소통에 답이 있는가? 정답은 답이 아니다. 해결책도 답이 아니다. 공감만이 답이다."라고 했다. 소통의 부모는 공감이라는 것이다. 어떻게 공감력을 키울 것인가? 방탄 소통(공감) 7요소가 당신의 공감력을 향상시켜 방탄 공감을 만들어 줄 것이다.

20,000명 심리 상담, 코칭 하면서 나다운 소통(공감) 방법을 만들어 가기 위한 것이 방탄 소통(방탄 공감)이라

는 것을 깨닫고 세계 최초로 리더의 방탄 소통(방탄 공감) class 7을 만들었다.

20,000명 심리 상담, 코칭 하면서 알게 된 것은 리더십의 본질인 삼성(진정성, 전문성, 신뢰성)리더십, 방탄 리더십이 나오지 않는 90%의 리더들은 소통(공감력)을 잘하지 못했고 삼성(진정성, 전문성, 신뢰성)리더십, 방탄 리더십이 나오는 90%의 리더들은 소통(공감력)을 잘했다.

자존감이 낮은 90%의 리더들은 소통(공감력)을 잘하지 못했고 자존감이 높은 90%의 리더들은 소통(공감력)을 잘했다.

멘탈이 낮은 90%의 리더들은 소통(공감력)을 잘하지 못했고 멘탈이 높은 90%의 리더들은 소통(공감력)을 잘했다.

소통(공감력)을 망치는 습관이 있는 90%의 리더들은 소통(공감력)을 잘하지 못했고 소통(공감력)을 잘하는 90%의 리더들은 소통(공감력)을 잘 하는 습관이 있었다.

리더 행복률이 낮은 90%의 리더들은 소통(공감력)을 잘하지 못했고 리더 행복률이 높은 90%의 리더들은 소통(공감력)을 잘했다.

리더가 자기계발, 동기부여를 못 하는 90%의 리더들은 소통(공감력)을 잘하지 못했고 리더가 자기계발, 동기부여를 잘 하는 90%의 리더들은 소통(공감력)을 잘했다.

리더가 인재 양성 코칭 매뉴얼, 시스템이 없는 90%의 리더들은 통(공감력)을 잘하지 못했고 리더가 인재 양성 코칭 매뉴얼, 시스템이 있는 90%의 리더들은 소통(공감력)을 잘했다.

소통력, 공감력에서 방법과 공식보다 선행되어야 할 것이 무엇인지 감이 올 것이다.

소통력, 공감력도 실력인데 20,000명 심리 상담, 코칭하면서 알게 된 것은 90%의 사람들이 노력 없이도 먹는 나이만 먹으면, 많은 인간관계를 해보면, 많은 경험을 해보면… 자연스럽게 생긴다는 착각 속에 살고 있다.

상담, 코칭 할 때 목이 터져라 화성까지 들리는 열정으로 늘 말하는 것이 있다. "경력은 스펙이 아닙니다! 경력에 맞는 나잇값, 경력 값, 내공, 가치, 성품이 나오지 않으면 자신을 살리는 경력이 아닌 자신 분야를 망치는 경력이 되어 버린다는 것을 명심해야 합니다."

철저하게 소통력, 공감력도 스펙이라는 태도로 방탄 소통(공감력) 학습, 연습, 훈련해야 한다.

방탄 소통(공감력) 7요소[1. 리더의 방탄 소통(방탄 공감) 본질, 2, 리더 소통 자존감, 3. 리더 소통 멘탈, 4. 리더 소통 습관, 5. 리더 소통 행복, 6. 리더 소통 자기계발(동기부여), 7. 리더 소통 코칭]학습, 연습, 훈련으로 끌고 가는 리더가 아닌 끌어가는 리더가 되자.

"같은 사람(리더) 다른 소통"

소통은 누구나 한다! 다만 방탄 소통은 아무나 못한다!

– 20,000명 심리 상담, 코칭 데이터 –

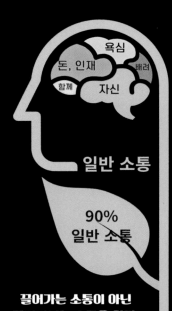

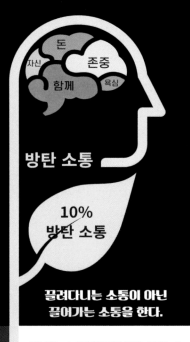

일반 소통

90%
일반 소통

끌어가는 소통이 아닌
끌려다니는 소통을 한다.

자존감이 낮은 소통을 한다.
멘탈이 낮은 소통을 한다.
소통을 못하는 습관이 있다.
자신이 행복하지 않으니
행복한 소통이 나오지 않는다.
자신 분야 자기계발, 동기부여를
하지 못해서 세상, 현실과 소통이
안되어 자신 분야 가치, 몸값이 그대로다.
인재 양성 코칭 매뉴얼이 없어서
인재가 없다고 따르는 사람들 탓만 한다.

방탄 소통

10%
방탄 소통

끌려다니는 소통이 아닌
끌어가는 소통을 한다.

방탄 소통(공감력) 7요소

1. 리더의 방탄 소통(방탄 공감) 본질
2. 리더 소통 자존감
3. 리더 소통 멘탈
4. 리더 소통 습관
5. 리더 소통 행복
6. 리더 소통 자기계발(동기부여)
7. 리더 소통 코칭

방탄리더사관학교 교훈

잘난 리더보다는
진실한 방탄 리더가 되겠습니다.

대단한 리더보다는
좋은 방탄 리더가 되겠습니다.

멋진 리더보다는
따뜻한 방탄 리더가 되겠습니다.

유명한 리더보다는
필요한 방탄 리더가 되겠습니다.

사람만 좋은 리더보다는
삼성(진정성, 전문성, 신뢰성)리더십이 나오는
방탄 리더가 되겠습니다.

- 최보규 방탄리더사관학교 참모총장 -

방탄리더사관학교

BULLETPROOF LEADER MILITARY ACADEMY

리더
스토리텔링과

<저자 최보규>

리더에 스토리텔링(Storytelling)으로 함께 하는 사람을 스토리두잉(Story Doing)하게 만들어야 한다.
스토리텔링을 통해 스토리두잉(Story Doing)을 하지 않으면 스토리는 다 쓰레기 된다!

Class 9. 리더 스토리텔링과

- 리더에 스토리텔링(Storytelling)으로 함께 하는 사람을 스토리두잉(Story Doing)하게 만들어야 한다.
스토리텔링을 통해 스토리두잉(Story Doing)을 하지 않으면 스토리는 다 쓰레기 된다!

★ 스토리텔링(Storytelling)은 누구나 한다. 하지만 스토리두잉(Story Doing)까지 하게 만드는 스토리텔링은 아무나 하지 못한다.

20,000 / 7G / 2,000 / 7,000 / 100 / 50 / 6,000 / 45 / 320 / 15 / 5 숫자를 통해 알게 된 방탄 리더 스토리텔링!

20,000명 심리 상담, 코칭으로 알게 된 방탄 리더 스토리텔링!
7G 직업(출판사 대표, 작가, 심리 상담사, 코칭 전문가, 강사, 유튜버, 한집의 가장)을 통해 알게 된 방탄 리더 스토리텔링!
2,000권 독서로 알게 된 방탄 리더 스토리텔링!
7,000개 메모로 알게 된 방탄 리더 스토리텔링!
자기계발서 100권 출간으로 알게 된 방탄 리더 스토리텔링!

온라인 콘텐츠, 디지털 콘텐츠 제작으로 50층 온라인 건물주가 **되어 알게 된** 방탄 리더 스토리텔링!
강의 6,000회 경력**으로 알게 된** 방탄 리더 스토리텔링!
45년간 습관 320가지 **만들면서 알게 된** 방탄 리더 스토리텔링!
강사 15년, 유튜버 5년 **하면서 알게 된** 방탄 리더 스토리텔링!

45년 간 시행착오, 대가 지불, 인고의 시간을 통해 알게 된 방탄 리더 스토리텔링 7단계 시스템! 1. 리더 스토리텔링 본질, 2. 리더 자존감 스토리텔링, 3. 리더 멘탈 스토리텔링, 4. 리더 습관 스토리텔링, 5. 리더 행복 스토리텔링, 6. 리더 자기계발(동기부여)스토리텔링, 7. 리더 코칭 스토리텔링.

어떤 사람도 말하지 못한 방탄 리더 스토리텔링!
어떤 영상에서도 말하지 못한 방탄 리더 스토리텔링!
어떤 책에서도 말하지 못한 방탄 리더 스토리텔링!

방탄 리더 스토리텔링

(세상에서 가장 강력한 스토리텔링 동기부여)

▶▶▶▶▶▶▶▶▶▶▶▶▶▶▶▶▶▶▶▶▶▶▶▶▶▶▶▶▶▶

**스토리텔링을 통해 스토리두잉을 하지 않으면
스토리는 다 쓰레기 된다!**

▶▶▶▶▶▶▶▶▶▶▶▶▶▶▶▶▶▶▶▶▶▶▶▶▶▶▶▶

어디에 있든 그 곳이
변화, 성장, 배움, 행복의
시작점이다.

— 최보규 스토리두잉 전문가 —

방탄리더사관학교

BULLETPROOF LEADER MILITARY ACADEMY

리더 스피치과

방탄 리더 스피치 1

<저자 최보규>

Body(몸) 스피치, Head(머리) 스피치, Mind(마음) 스피치 학습, 연습, 훈련하는 방법 381가지!

Class 10. 리더 스피치과

- Body(몸) 스피치, Head(머리) 스피치, Mind(마음) 스피치 학습, 연습, 훈련하는 방법 381가지!

★ 90%가 잘 못 알고 있는 스피치 본질! 스피치 고.틀. 선.편 깨기(고정관념, 틀, 선입견, 편견)

20,000명 심리 상담, 코칭 하면서 알게 된 것은 리더들 90%가 스피치는 "발음을 정확하게 발성을 명료하게 말하는 것이고 상대방이 잘 알아들을 수 있도록 말을 잘하는 것이며 자신의 의사를 정확하게 전달하는 것이다." 라고 알고 있다. 틀린 말은 아니지만 틀렸다.

"틀린 말은 아닌지만 틀렸다?" 이 말이 무슨 말일까? 틀린 말이 아니라고 말한 이유는 리더들 90%가 알고 있는 것이 스피치의 이론, 방법, 공식이기 때문이고 틀렸다고 말한 이유는 스피치 이론, 방법, 공식보다 선행되어야 할 것이 리더 자신의 1. 삼성(진정성, 전문성, 신뢰성)스피치, 2. 스피치 자존감, 3. 스피치 멘탈, 4. 스피치 습관, 5. 스피치 행복, 6. 스피치 자기계발, 7. 스피치 코칭 학습, 연습, 훈련이 되어 있지 않으면 스피치 이론, 방법, 공식은 효과를 보지 못하기 때문에 틀린 말은 아니지만 틀렸다고 하는 것이다.

이 시점에서 이런 의문점이 90% 생길 것이다. "보편적으로 시중에 나온 수많은 스피치 책, 영상에서는 스피치 이론, 방법, 공식이 중요하다고 하는데 최보규 방탄리더 스피치 전문가는 다른 말을 하는 이유가 뭘까?"

이유 설명을 하기 전에 스피치 이론, 방법, 공식보다 더 중요하고 선행되어야 할 것이 리더 자신의 1. 삼성(진정성, 전문성, 신뢰성)스피치, 2. 스피치 자존감, 3. 스피치 멘탈, 4. 스피치 습관, 5. 스피치 행복, 6. 스피치 자기계발, 7. 스피치 코칭 학습, 연습, 훈련이라는 것을 깨닫게 해주는 스토리텔링을 먼저 보겠다.

생쥐가 한 마리가 있었다. 생쥐는 늘 고양이를 무서워하며 살았다. 마법사에게 찾아가 고양이의 천적인 개로 만들어 달라고 했다. 레드썬! 개의 모습이 되어 고양이 앞에 갔는데 또 무서움이 사라지지 않았다.

마법사에게 찾아가 호랑이로 만들어 달라고 했다. 레드썬! 호랑이의 모습이 되어 고양이 앞에 갔는데 또 무서움이 사라지지 않았다.

마법사에게 찾아가서 사람으로 만들어 달라고 했다. 레드썬! 사람의 모습이 되어 고양이 앞에 갔는데 또 무서움이 사라지지 않았다.

결국 생쥐를 도와줬던 마법사가 사람이 된 생쥐를 다시

본래의 생쥐를 만들어 주면서 이렇게 말했다.

"너의 모습이 아무리 좋게 바뀌어도 생쥐의 가슴을 가지고 있는 한 그때뿐이다".

《마음을 밝혀주는 소금 1》 내용 각색

아무리 화려하고 멋있는 것 일지라도 포장지일 뿐이다. 포장지가 아무리 화려할지라도 내면이 [리더 자신의 1. 삼성(진정성, 전문성, 신뢰성)스피치, 2. 스피치 자존감, 3. 스피치 멘탈, 4. 스피치 습관, 5. 스피치 행복, 6. 스피치 자기계발, 7. 스피치 코칭] 바뀌지 않으면 쓰레기가 된다는 것을 깨닫게 해주는 스토리다.

생쥐의 심장 스토리텔링을 스피치로 비유하면 스피치 이론, 방법, 공식은 생쥐가 겉모습만 바뀌고 싶어 하는 고양이, 개, 호랑이, 사람이고 생쥐의 심장은 평상시 학습, 연습, 훈련이 되어 있지 않은 리더 자신의 1. 삼성(진정성, 전문성, 신뢰성)스피치, 2. 스피치 자존감, 3. 스피치 멘탈, 4. 스피치 습관, 5. 스피치 행복, 6. 스피치 자기계발, 7. 스피치 코칭이라고 말할 수 있다.

간단히 정리를 하면 리더의 방탄 리더 스피치 7단계 시스템이 [리더 자신의 1. 삼성(진정성, 전문성, 신뢰성)스피치, 2. 스피치 자존감, 3. 스피치 멘탈, 4. 스피치 습관, 5. 스피치 행복, 6. 스피치 자기계발, 7. 스피치 코칭] 평상시 학습, 연습, 훈련되어 있지 않으면 스피치 이론, 방법, 공식을 배우더라도 늘 그때뿐이고 시간, 돈 낭비만 한다는 것이다.

한마디로 리더 스피치 외모 성형이 중요한 것이 아니라 리더 스피치 내면 성형[리더 자신의 1. 삼성(진정성, 전문성, 신뢰성)스피치, 2. 스피치 자존감, 3. 스피치 멘탈, 4. 스피치 습관, 5. 스피치 행복, 6. 스피치 자기계발, 7. 스피치 코칭]을 먼저 해야지만 리더 스피치 외모 성형에 촛불처럼 금방 꺼지는 빛이 아닌 태양 빛처럼 오래 지속되는 빛이 나는 것이다.

20,000명 심리 상담, 코칭을 하면서 알게 된 것은 리더들 90%가 리더 스피치 내면 성형을 하지 않고 리더 스피치 외모 성형만 하려고 하니 스피치 책 1,000권, 스피치 영상 1,000개, 수많은 스피치 관련 교육을 보고 배우더라도 늘 그때뿐이라고 말하는 리더들이 많았다는 것이다.

시중에 있는 스피치 책, 영상들이 나쁘다고 말하는 것이 아니다.
스피치 이론, 방법, 공식들이 필요 없다고 말하는 것이 아니다.

스피치 본질이 중요하다고 말을 하는 것이다.

당연히 스피치 외모 성형을 통해 사람의 심리인 단기간에 빠른 효과를 보고 싶은 마음을 모르는 것은 아니다. 하지만 리더 스피치 내면 성형을 전혀 신경 안 쓰고 스피치 외모 성형에만 집착을 하니 문제가 많이 벌어진다는 것이다.

어떤 문제가 생길까? 오너 리스트, 오너의 갑질, 임원진의 갑질, 리더들의 위력, 직장내 괴롭힘...등 리더 스피치 외모 성형만 집착을 하게 돼서 발생한다는 것이다.

▶ 리더 스피치 외면 성형보다 먼저 내면 성형을 하지 않으면 벌어지는 상황!

1. 리더십의 본질인 삼성(진정성, 전문성, 신뢰성)리더십이 나오지 않는 데 삼성스피치가 나오겠는가?
삼성(진정성, 전문성, 신뢰성)리더십, 스피치가 나오지 **않으면** 조직체원들은 회사의 애사심이 생기지 않아 임원진의 갑질, 직장내 괴롭힘이 발생하여 인재가 떠난다.

2. 자존감이 낮은데 자존감 높은 스피치가 나오겠는가?
리더의 자존감 낮은 스피치는 비전제시가 제대로 되지 **않아서** 조직체원들은 리더의 비전을 느끼지 못해서 인재가 떠난다.

3. 멘탈이 약한데 멘탈 강한 스피치가 나오겠는가?
리더의 멘탈 약한 스피치는 조직체원들의 멘탈을 약하게 만들어 자신감을 저하 시켜 인재가 떠난다.

4. 스피치를 망치는 습관이 있는데 스피치를 잘하겠는가?
리더의 안 좋은 스피치 습관은 조직체원들의 사기저하를 시켜 인재가 떠난다.

5. 행복하지 않은데 스피치에서 행복이 느껴지겠는가?

리더의 스피치에서 행복을 느끼지 못하면 조직체원들은 "행복하지 않는 리더와는 오래 있고 싶지 않다. 내일이라도 떠날 수 있는 준비를 하자"라는 태도로 함께 하는 척한다.

6. 리더다운 스피치 자기계발을 하지 못하는데 스피치 자기계발을 통해 수익을 극대화 시킬 수 있겠는가?

리더가 스피치 자기계발을 하지 못하면 "월급 말고는 배움, 변화, 성장이 없는 조직체 리더에게 보고 배울게 없다."라는 태도로 떠날 준비를 한다.

7. 인재 양성 코칭 스피치 매뉴얼, 시스템이 없는데 인재가 양성되기를 바라는가?

리더의 인재 양성 코칭 스피치 매뉴얼, 시스템이 없으면 "10년 전, 20년 전 자신의 경험, 노하우를 지금 시대에 먹힐 거라고 강요하는 꼰대십, 매뉴얼, 시스템, 자료화된 것 없이 주먹구구식으로 알려주는 자신의 옛날 호랑이 담배 피던 시절 노하우. '나 때는 말이야'라는 말을 외울 정도로 반복하는 의미부여, 동기부여! 전혀 도움 안 되는 스피치 지겹다. 지겨워."라는 마음을 들게 하여 불신이 생겨 인재 양성이 아닌 인재를 망치는 매뉴얼, 시스템을 리더 자신도 모르게 만들어 버린다.

리더여, 당신의 스피치에서는 무엇을 느낄 수 있고 무엇을 느끼게 하는가?

스피치에서 존중, 인성, 사랑, 배려, 양보가 느껴지는 않는 리더
스피치에서 열정이 느껴지는 않는 리더
스피치에서 비전이 느껴지는 않는 리더
스피치에서 내공이 느껴지는 않는 리더
스피치에서 삼성(진정성, 전문성, 신뢰성)이 느껴지는 않는 리더
스피치에서 당당함이 느껴지는 않는 리더
스피치에서 행복이 느껴지는 않는 리더
스피치에서 긍정의 에너지가 느껴지는 않는 리더
스피치에서 희망이 느껴지는 않는 리더
스피치에서 감사가 느껴지는 않는 리더
스피치에서 "함께 잘되고 잘 살자" 마음이 느껴지는 않는 리더

스피치에서 존중, 인성, 사랑, 배려, 양보가 느껴지는 리더
스피치에서 열정이 느껴지는 리더
스피치에서 비전이 느껴지는 리더
스피치에서 내공이 느껴지는 리더

스피치에서 삼성(진정성, 전문성, 신뢰성)이 느껴지는 리더

스피치에서 당당함이 느껴지는 리더

스피치에서 행복이 느껴지는 리더

스피치에서 긍정의 에너지가 느껴지는 리더

스피치에서 희망이 느껴지는 리더

스피치에서 감사가 느껴지는 리더

스피치에서 "함께 잘되고 잘 살자" 마음이 느껴지는 리더

리더여, 가족, 팀원, 조직체원들이 어떤 스피치를 바랄까? 성공한 사람 스피치? 위대한 스피치? 인지도 있는 스피치? 멋있는 스피치? 아나운서 스피치? 뉴스앵커 스피치? 정확한 발음이 나오는 스피치? 정확한 발성이 되는 스피치? 단언컨대 가족, 팀원, 조직체원들이 바라는 스피치는 지금 당장 가족, 팀원, 조직체원들에게 필요한 스피치다. 다음은 가족, 팀원, 조직체원들에게 필요한 스피치가 무엇인지 깨닫게 해주는 스토리텔링이다.

선생님은 좋은 의사입니까? 최고의 의사입니까? 지금 여기 누워있는 환자에게 물어보면 어떤 쪽 의사를 원한다고 할 거 같냐? 최고의 의사요? 아니! 필요한 의사다~~!!

지금 이 환자에게 절실히 필요한 것은 골절을 치료해 줄 의사야. 그래서 나는 내가 아는 모든 걸 총동원해서 이 환자에게 필요한 의사가 되려고 노력 중이다.

답이 됐냐? 네가 시스템을 탓하고 세상을 탓하고 그런 세상 만든 꼰대 탓하는 거 다 좋아. 좋은데...그렇게 남 탓해봐야 세상 바뀌는 건 아무것도 없어. 그래봤자 그 사람들 네 이름 석 자도 기억하지 못할 걸. 정말로 이기고 싶으면 필요한 사람이 되면 돼. 남 탓 그만하고 네 실력으로 네가 바뀌지 않으면 아무것도 바뀌지 않는다.

<SBS 드라마 낭만닥터 김사부>

지금 눈앞에 보이는 사람들이 필요로 하는 것이 무언지 상황파악을 하고 필요한 스피치를 했을 때 세상에서 가장 강력한 스피치가 나오고 사람의 마음을 움직이는 스피치가 나오는 것이다.

한마디로 나다운 스피치, 진심 스피치가 세상에서 가장 강력한 스피치다. 세계 인구 79억 명 나다운 스피치, 진심 스피치 79억 가지다.

나다운 스피치는 얄팍한 생각으로 한 순간에 효과를 보고 싶어서 스피치 이론, 방법, 공식을 속성으로 배운다고 나오는 게 아니다. "검증 된 나다운 스피치, 진심 스피치의 자세한 설명은 뒤에서 하겠다."

잘난 스피치를 하는 리더가 아니라 진실한 스피치를 하는 리더! 잘난 스피치를 하는 리더는 피하고 싶어지지만 진실한 스피치를 하는 리더는 곁에 두고 싶어진다.

대단한 스피치를 하는 리더가 아니라 좋은 스피치를 하는 리더! 대단한 스피치를 하는 리더는 부담을 주지만 좋은 스피치를 하는 리더는 행복을 준다.

멋진 스피치를 하는 리더가 아니라 따뜻한 스피치를 하는 리더! 멋진 스피치를 하는 리더는 눈을 즐겁게 하지만 따뜻한 스피치를 하는 리더는 마음을 데워 준다.

유명한 스피치를 하는 리더가 아니라 가족, 팀원, 조직체원들에게 필요한 스피치를 하는 리더! 유명한 스피치를 하는 리더는 환상을 주지만 필요한 스피치를 하는 리더는 배움, 변화, 성장, 지혜를 준다.

나다운 스피치, 진심 스피치, 진실한 스피치, 좋은 스피치, 따뜻한 스피치, 필요한 스피치는 자신의 시행착오, 대가 지불, 인고의 시간을 통해 스피치 본질인 방탄 리더 스피치 7가지[1. 삼성(진정성, 전문성, 신뢰성)스피치, 2. 스피치 자존감, 3. 스피치 멘탈, 4. 스피치 습관, 5. 스피치 행복, 6. 스피치 자기계발, 7. 스피치 코칭]와

157

Body(몸) 스피치, Head(머리) 스피치, Mind(마음) 스피치를 꾸준히 학습, 연습, 훈련 했을 때 나온다.

★ Body(몸) 스피치, Head(머리) 스피치, Mind(마음) 스피치 학습, 연습, 훈련 하는 방법 320가지!

Body(몸) 스피치, 몸이 건강하지 않으면 건강한 스피치가 나오지 않는다.

세상에서 가장 중요한 것이 건강이다. 누구나 알지만 아무나 몸이 자신에게 말하는 것을 듣지 못한다. 몸이 아프다는 것은 몸이 자신에게 말을 하는 것이다.

평상시에 몸 관리를 신경 쓰고, 먹고 싶은 거, 좋아하는 음식(대부분 달고 짜고 자극적인 음식)이기에 절제 좀 하라는 몸이 나에게 말하는 신호다. 혀가 좋아하는 음식은 몸이 싫어하고 몸이 좋아하는 음식은 혀가 싫어한다. 혀가 좋아하는 음식을 줄일 때 몸이 말하는 것이 잘 들린다. 필자가 하고 있는 Body(몸) 스피치 학습, 연습, 훈련하는 방법 320가지 참고하자.

Head(머리) 스피치, 머리에 든 지식이 없으면 깡통 스피치가 나온다.

입은 출력하는 곳이라면 머리는 저장하는 곳이다. 한 마디로 지혜, 지식, 정보, 상식, 삼성(진정성, 전문성, 신뢰성), 목표, 방향, 이루고 싶은 것, 꿈, 비전, 인간관계, 사랑, 사람 심리... 등이 머리에 많은 데이터가 저장 되어 있지 않으면 입에서 나오는 스피치는 자신, 사람들에게 소음밖에 되지 않는다. 필자의 Head(머리) 스피치 학습, 연습, 훈련하는 방법 320가지 참고하자.

Mind(마음) 스피치, 마음이 우울하면 우울한 스피치가 나온다.

트라우마, 콤플렉스, 가족에 대한 상처, 부모에 대한 상처, 사랑의 상처, 인간관계 상처, 낮은 자존감으로 인한 자격지심, 낮은 멘탈로 인한 열등감, 우울함... 등 마인드 컨트롤이 되지 않아 나오는 스피치는 만나는 사람들에게도 감정 전이, 감정 전염이 되어 우울한 스피치가 나온다. 필자의 Mind(마음) 스피치 학습, 연습, 훈련하는 방법 320가지 참고하자.

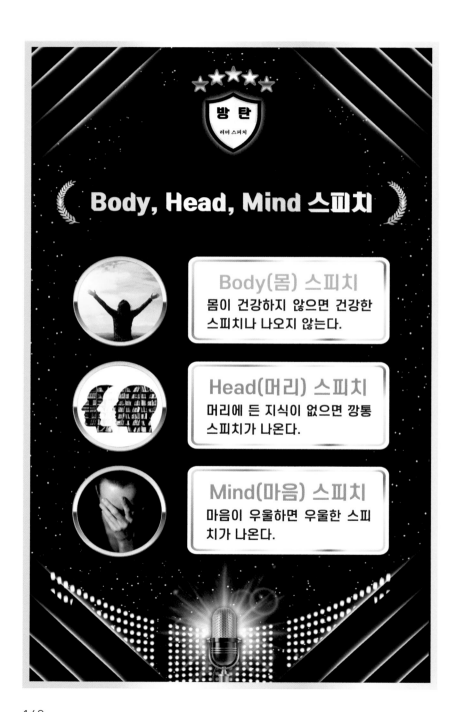

Body, Head, Mind 스피치

Body(몸) 스피치
몸이 건강하지 않으면 건강한 스피치나 나오지 않는다.

Head(머리) 스피치
머리에 든 지식이 없으면 깡통 스피치가 나온다.

Mind(마음) 스피치
마음이 우울하면 우울한 스피치가 나온다.

최보규 방탄리더스피치 전문가의
Body, Head, Mind 스피치
학습, 연습, 훈련 하는 방법 320가지!

Body(몸) 스피치
학습, 연습, 훈련 하는 방법
320가지!

Head(머리) 스피치
학습, 연습, 훈련 하는 방법
320가지!

Mind(마음) 스피치
학습, 연습, 훈련 하는 방법
320가지!

1. 전신 장기기증

2. 유서 써놓기

3. 꿈 목표 설정

4. 영양제 챙기기

5. 꿀 챙기기

6. 계단 이용

7. 8시간 숙면

8. 취침 4시간 전 안 먹기

9. 기상 후, 자기 전 스트레칭 10분

10. 술, 담배 안 하기

11. 하루 운동 30분

12. 밀가루 기름진 음식 줄이기

13. 자극적인 음식 줄이기

14. 얼굴 눈 스트레칭

15. 박장대소 하루 2회

16. 기상 직후 양치질 물먹기

17. 물 7잔 마시기

18. 밥 먹는 중 물 조금만

19. 국물 줄이기

20. 밥 먹고 30후 커피 마시기

21. 기상 직후 책 들기

22. 한 달 책 15권 보기

23. 책 메모하기

24. 메모 ppt 만들기

25. SNS 캡처 자료수집

26. 강의 자료 항상 찾기

27. 좋은 글 점심때 보내기

28. 사랑의 전화 봉사

29. 주말 유치원 봉사

30. 지인 상담봉사

31. 강의 재능기부

32. 사랑의 전화 후원

33. 강의자료 주기

34. TV 줄이기

35. 부정적인 뉴스 줄이기

36. 솔선수범하기

37. 지인들 선물 챙기기

38. 한 달 한번 등산

39. 몸에 무리 가는 행동 안 하기

40. 하루 감사 기도 마무리

41. 탄산음료, 과일주스 줄이기

42. 아침 유산균 챙기기

43. 고자세

44. 스마트폰 소독 2번

45. 게임 안 하기

46. SNS 도움 되는 것 공유

47. 전단지 받기

48. 긍정, 멘탈 사용설명서 도구 스티커 나눠주기

49. 학습자 선물 주기

50. 강의 피드백 해주기

51. 자일리톨 원석 먹기 하루 3개

52. 찬물 줄이고 물 미온수 먹기

53. 소금물 가글

54. 알람 듣고 바로 일어나기

55. 오전 10시 이후 커피 먹기

56. 믹스커피 안 먹기

57. 강의 족보 주기

58. 강의 동영상 주기

59. 강의 녹음파일 주기

60. 블로그 좋은 글 나누기

61. 인스턴트 음식 줄이기

62. 아이스크림 줄이기

63. 빨리 걷기

64. 배워서 남 주자 실천(PPT)

65. 읽어서 남 주자 실천(책 속의 글)

66. 오른손으로 차 문 열기

67. 오손도손 오손 왼손 캠페인 전파하기

68. 운전 중 스마트폰 안 보기

69. 취침 전 30분 독서

70. 취침 전 30분 스마트폰 안 보기

71. 오늘이 마지막인 것처럼 섬기고 영원히 살 것처럼 배우기

72. 자존심 신발장에 넣어 두고 나오기

73. 내가 받은 상처는 모래에 새기고 내가 받은 은혜는 대리석에 새기기

74. 어제의 나와 비교하기

75. 어제 보다 0.1% 성장하기

76. 세상에서 가장 중요한 스펙? 건강, 태도 실천하기

77. 나방이 되지 않기

78. 마라톤 10주 프로그램 시작

79. 마라톤 5km 도전

80. 마라톤 10km 도전

81. 마라톤 하프 도전

82. 마라톤 풀코스 도전

83. 자기 전 5분 명상

84. 뱃살 스트레칭 3분

85. 아침 동기부여 사진 보내기 8시

86. 저녁 동기부여 사진 보내기 9시

87. 나의 1%는 누군가에게는 100%가 될 수 있다. 실천

88. 150세까지 지금 몸매, 몸 상태 유지 관리

89. 아침 달걀 먹기

90. 운동 후 달걀 먹기

91. 헬스장 등록

92. 오래 살기 위해서가 아니라 옳게 살기 위해 노력하
는 사람이 되자

93. 남들이 하는 거 안 하기 남들이 안 하는 거 하기

94. 아침 결명자차 마시기

95. 저녁 결명자차 마시기

96. 폼롤러 스트레칭

97. 어제보다 나은 내가 되자

98. 남들이 안 하는 강의 분야 도전

99. 플랭크 운동

100. 스쿼터 운동

101. 계산할 때 양손으로 주고받고 인사

102. 명함 거울 선물 주기

103. 40살 되기 전 책 출간

104. 반 100년 되기 전 책 5권 집필하기

105. 유튜브[나다운TV] 강사심폐소생술

106. 유튜브[나다운TV] 나다운심폐소생술

107. 아.원.때.시.후.성.실 말 줄이기

108. 나다운 강사 책 유튜브 올려 함께 잘 되기

109. 리플렛으로 동기부여 시켜주기

110. 아침 8시 동기부여 메시지 만들어 보내기

111. 저녁 9시 동기부여 메시지 만들어 보내기
112. 어플 책 속의 한 줄에 책 내용 올리기
113. 책 내용 SNS 오픈
114. 3번째 책 원고 작업 시작
115. 4번째 책 자료수집
116. 뱃살관리 스트레칭 아침, 저녁 5분
117. 3번째 책 기획출판계약
118. 최보규강사사관학교 시작
119. 최보규강사사관학교 지회 원장 임명
120. 올 노(올바른 노력)공식 오픈
121. 행복, 방탄멘탈 공식 자자자자멘습긍 오픈
122. 생화 네 잎 클로버 선물 주기
123. 세바시를 통해 극단적인선택 예방 전파!
124. 세바시를 통해 자자자자멘습긍 사용설명서 전파!
125. 4번째 책 원고 시작 2021년 1월 출간 목표!
126. 전염성이 강한 상황 왔을 때 대처하기 위한 준비!
127. 코로나19 극복을 위한 공적 마스크 독고 어르신들 주기!
128. 아내를 위해 앉아서 소변보기
129. 들어라 하지 말고 듣게 하자
130. 좋은 사람이 되지 말고 좋은 사람 되어주자.
131. 좋아하게 하지 말고 좋아지게 하자
132. 보여주는(인기)인생을 사는 것보다 보여지는(인

정)인생을 살아가자.

133. 나 이런 사람이야 말하지 않아도 이런 사람이구나 느끼게 하자.

134. 마음을 얻으려 하지 말고 마음을 열게 하자.

135. 믿으라 하지 말고 믿게 하자

136. 나에 행복 0순위는 아내의 행복이다! 일어나서 자기 전까지 모든 것 아내에게 집중!

137. 아내 말을 잘 듣자! 하는 일이 잘 된다!

138. 아버지가 어머니에게 이렇게 대했으면 하는 남편이 되겠습니다. 매형들이 누나들에게 이렇게 대했으면 하는 남편이 되겠습니다.

139. 내 몸은 아내거다. 빌려 쓰는 거다! 담배, 술, 몸에 무리가 가는 모든 것 자제 하고 건강관리, 자기관리 하겠습니다.

140. 아내의 은혜를 보답하기 위해 머리, 가슴, 몸, 돈으로 실천하겠습니다!

141. 아내에게 받은 사랑(내조) 보답하기 위해 머리, 가슴, 몸, 돈으로 실천하겠습니다.

142. 아내를 몸, 마음, 돈으로 평생 웃게 해서 호강시켜 주겠습니다.

143. 아내를 존경하겠습니다. 세상에 아내 같은 여자 없습니다.

144. 아내 빼고는 모든 여자는 공룡이다! 정신으로 살겠

습니다.

145. 많은 사람들에게 인정받는 남편이 아닌 아내에게 인정받는 남편이 되기 위해 먼저 맞춰가는 남편이 되겠습니다.

146. 아내에게 무조건 지겠습니다.
이기려 하지 않겠습니다. 아내 앞에서는 나직성자체를 내려놓겠습니다. (나이, 직급, 성별, 자존심, 체면)

147. 지저분한 것(음식물 쓰레기, 화장실 청소)다 하겠습니다.

148. 함께하는 한 가지를 위해 개인 생활 10가지를 감수하겠습니다.

149. 최강자 학습지 시작 (최보규의 강사학습지, 자기계발학습지)

150. 홈코 시작(집에서 화상 1:1 케어)

151. 불자의 인생 시작

152. 나는 복덩어리다. 나는 운이 좋은 사람이다.

153. 베스트셀러 3권 달성 노하우 책쓰기 교육 시작

154. 유튜브, 유튜버 100년 하는 노하우 교육 시작

155. 방탄멘탈마스터 양성 시작

156. 나다운 방탄멘탈 책으로 극단적인 선택 줄이기

157. 아침 8시, 저녁 9시 방탄멘탈공식 SNS 공유

158. 5번째 책 2022년 나다운 방탄사랑

159. 2023 나다운 방탄멘탈 2
160. 2024 나다운 책 쓰기(100년 가는 책)
161. 2025 유튜버가 아니라 나튜버
    (100년 가는 나튜버)
162. 2026 나다운 강사3(Q&A)
163. 2027 나다운 명언
164. 2029 나다운 인생(50살 자서전)
165. 줌 화상 기법 강의, 코칭(최보규줌사관학교)
166. 언택트(비대면)시대에 맞게 아날로그 방식 80%를
    디지털 방식 80%로 체인지
167. 변기 뚜껑 닫고 물 내리기
168. 빨래개기
169. 요리하기, 요리책 내기 위한 자료 수집
170. 화장실 물기 제거
171. 부엌 청소, 집 청소, 화장실 청소
172. 사랑해 100번 표현하기
173. 아내에게 하루 마무리 안마 5분 해주기
174. 헌혈 2달에 1번
175. 헌혈증 기부
176. 네 번째 책 행복 히어로 책 출간
177. 극단적인 선택률, 이혼율 낮추기 위한 교육 시작
178. 행복률 높이기 위한 교육 시작
179. 다섯 번째 책 원고 작업 시작

180. 여섯 번째 책 자료 수집

181. 운전 중 양보 해 줄 때, 받을 때 목례로 인사하기.

182. 다섯 번째 책 나다운 방탄습관블록 출간

183. 습관사관학교 시스템 완성

184. 습관 코칭, 교육 시작

185. 아침 8시, 저녁 9시 습관 메시지 sns 공유

186. 습관 전문가 되어 무료 케어 상담 시작

187. 습관 콘텐츠 유튜브<행복히어로>에 무료 오픈

188. 여섯 번째 책 원고 작업 시작

189. 최보규상(대한민국 노벨상) 버킷리스트 설정

190. 2037년까지 운영진, 자금(상금), 시스템 완성 목표 설정

191. 최보규상을 1,000년 동안 유지하기 위한 공부

192. 일곱 번째 자존감 책 원고 작업

193. 여덟 번째 책 쓰기 책 자료 수집, 공부

194. 앉아서 일할 때 50분의 한번 건강 타이머 누르기

195. 세계 최초 자기계발쇼핑몰 (www.자기계발아마존.com)

196. 온라인 건물주 분양 시작 (월세, 연금성 소득 올릴 수 있는 시스템)

197. 일곱, 여덟 번째 책 축간 (나다운 방탄자존감 명언 Ⅰ,Ⅱ)

198. 자기계발코칭전문가 1급, 2급 자격증 교육 시작

199. 방탄자기계발사관학교 Ⅰ,Ⅱ,Ⅲ,Ⅳ 4권 출간
200. 2021년 목표였던 9권 책 출간 달성!
201. 하루 3번 호흡 스펙 습관 쌓기 시작
     (코 8초 마시고, 5초 멈추고, 입으로 8초 내뱉기)
202. 장모님께 출간 한 책 12권 드리기
203. 2022년 최보규의 책 쓰기9 원고 작업 시작
204. 100만 프리랜서들 도움주기 위한 프로젝트 시작
205. 방탄 자존감 코칭 기술
206. 방탄 자신감 코칭 기술
207. 방탄 자기관리 코칭 기술
208. 방탄 자기계발 코칭 기술
209. 방탄 멘탈 코칭 기술
210. 방탄 습관 코칭 기술
211. 방탄 긍정 코칭 기술
212. 방탄 행복 코칭 기술
213. 방탄 동기부여 코칭 기술
214. 방탄 정신교육 코칭 기술
215. 꿈 코칭 기술
216. 목표 코칭 기술
217. 방탄 강사 코칭 기술
218. 방탄 강의 코칭 기술
219. 파워포인트 코칭 기술
220. 강사 트레이닝 코칭 기술

221. 강사 스킬UP 코칭 기술

222. 강사 인성, 멘탈 코칭 기술

223. 강사 습관 코칭 기술

224. 강사 자기계발 코칭 기술

225. 강사 자기관리 코칭 기술

226. 강사 양성 코칭 기술

227. 강사 양성 과정 코칭 기술

228. 퍼스널브랜딩 코칭 기술

229. 방탄 리더십 코칭 기술

230. 방탄 인간관계 코칭 기술

231. 방탄 인성 코칭 기술

232. 방탄 사랑 코칭 기술

233. 스트레스 해소 코칭 기술

234. 힐링, 웃음, FUN 코칭 기술

235. 마인드컨트롤 코칭 기술

236. 사명감 코칭 기술

237. 신념, 열정 코칭 기술

238. 팀워크 코칭 기술

239. 협동, 협업 코칭 기술

240. 버킷리스트 코칭 기술

241. 종이책 쓰기 코칭 기술

242. PDF 책 쓰기 코칭 기술

243. PPT로 책 출간 코칭 기술

244. 자격증 교육 커리큘럼으로 책 출간 코칭 기술

245. 자격증 교육 커리큘럼으로 영상 제작 코칭 기술

246. 책으로 디지털콘텐츠 제작 코칭 기술

247. 책으로 온라인 콘텐츠 제작 코칭 기술

248. 책으로 네이버 인물 등록 코칭 기술

249. 책으로 강의 교안 제작 코칭 기술

250. 책으로 민간 자격증 만드는 코칭 기술

251. 책으로 자격증 과정 8시간 제작 코칭 기술

252. 책으로 유튜브 콘텐츠 제작 코칭 기술

253. 유튜브 시작 코칭 기술

254. 유튜브 자존감 코칭 기술

255. 유튜브 멘탈 코칭 기술

256. 유튜브 습관 코칭 기술

257. 유튜브 목표, 방향 코칭 기술

258. 유튜브 동기부여 코칭 기술

259. 유튜브가 아닌 나튜브 코칭 기술

260. 유튜브 영상 제작 코칭 기술

261. 유튜브 영상 편집 코칭 기술

262. 유튜브 울렁증 극복 코칭 기술

263. 유튜브 썸네일 디자인 제작 코칭 기술

264. 유튜브 콘텐츠 제작 코칭 기술

265. 유튜브 수입 연결 제작 코칭 기술

266. 유튜브 영상 홍보 코칭 기술

267. 홈페이지 무인시스템 연결 제작 코칭 기술

268. 홈페이지 자동 결제 시스템 제작 코칭 기술

269. 홈페이지 비메오 연결 제작 코칭 기술

270. 홈페이지 렌탈 시스템 제작 코칭 기술

271. 홈페이지 디자인 제작 코칭 기술

272. 홈페이지 제작 코칭 기술

273. 재능마켓 크몽 PDF 입점 코칭 기술

274. 재능마켓 크몽 강의 입점 코칭 기술

275. 재능마켓 크몽 이미지 디자인 제작 코칭 기술

276. 재능마켓 크몽 입점 영상 제작 코칭 기술

277. 재능마켓 크몽 입점 영상 편집 코칭 기술

278. 재능마켓 크몽 VOD 입점 코칭 기술

279. 클래스101 영상 입점 코칭 기술

280. 클래스101 PDF 입점 코칭 기술

281. 클래스101 이미지 디자인 제작 코칭 기술

282. 클래스101 영상 제작 코칭 기술

283. 클래스101 영상 편집 코칭 기술

284. 탈잉 영상 입점 코칭 기술

285. 탈잉 PDF 입점 코칭 기술

286. 탈잉 이미지 디자인 제작 코칭 기술

287. 탈잉 영상 제작 코칭 기술

288. 탈잉영상 편집 코칭 기술

289. 탈잉 VOD 입점 코칭 기술

290. 클래스U 영상 입점 코칭 기술

291. 클래스U 영상 제작 코칭 기술

292. 클래스U 영상 편집 코칭 기술

293. 클래스U 이미지 디자인 제작 코칭 기술

294. 클래스U 커리큘럼 제작 코칭 기술

295. 인클 입점 코칭 기술

296. 자신 분야 콘텐츠 제작 코칭 기술

297. 자신 분야 콘텐츠 컨설팅 코칭 기술

298. 자기계발코칭전문가 1시간 ~ 1년 코칭 기술

299. 강사코칭전문가, 리더십코칭전문가 1시간 ~ 1년
    코칭 기술

300. 온라인 건물주 되는 코칭 기술

301. 강사 1:1 코칭기법 코칭 기술

302. 전문 분야 있는 사람 1:1 코칭 기법 코칭 기술

303. CEO, 대표, 리더, 협회장 품위유지의무 코칭 기술

304. 은퇴 준비 코칭 기술

305. 2023년 나다운 방탄리더십 1, 2, 3, 4, 5 출간

306. 나다운 방탄리더십 아침, 저녁 메시지 시작

307. 강사코칭전문가 자격증 시스템 시작

308. 방탄 리더십 원고 작업 시작

309. 방탄 리더 자존감 원고 작업 시작

310. 방탄 리더 멘탈 원고 작업 시작

311. 방탄 리더 습관 원고 작업 시작

312. 방탄 리더 행복 원고 작업 시작

313. 방탄 리더 자기계발 원고 작업 시작

314. 방탄 리더 코칭 원고 작업 시작

315. 마트에서 구입한 물건들 바코드 정렬해서 올리기

316. 장모님 머리 염색해 주기

317. 처남 금연, 금주 도와주기

318. 한 해 시작할 때 습관 영상 업로드

319. 결혼기념일 뱃지, 명찰 제작

320. 뒤꿈치 들기 운동 시작

자동차가 움직이기 위해서는 2만~3만 개의 부품들이 조합을 이루어서 움직이게 되고 손목시계는 100개~200개 부품이 모여 움직이며 스마트폰은 50개~100개 부품이 모여 움직이듯이 필자는 Body(몸) 스피치, Head(머리) 스피치, Mind(마음) 스피치 학습, 연습, 훈련하는 방법 320가지가 모여서 세상 어느 누구도 흉내 낼 수 없는 최보규 다운 Body(몸) 스피치, Head(머리) 스피치, Mind(마음) 스피치가 나오는 것이다.

나다운 스피치, 진심 스피치가 나올 때 모든 사람들의 살아가는 이유인 행복한 인생(나다운 인생)을 살 수 있는 것이다.

스피치 이론, 방법, 공식보다 선행 되어야 할 것이 왜 Body(몸) 스피치, Head(머리) 스피치, Mind(마음) 스피치 학습, 연습, 훈련인지를 깨닫게 해주는 스토리텔링이다.

미국 대통령 4명의 스피치 멘탈 관리법!

여기 있는 토니 로빈스의 세미나는 전 세계에서 가장 인기 있는 세미나죠. "50시간짜리 강의에요." "하지만 오늘 5분간 짧게 설명해볼게요." 그리고 토니가 여러분을 인생을 새롭게 바꿀 겁니다. 제가 오늘 부탁하는 건 50시간의 강의의 지혜를 5분에 줄여서 해주세요.

토니 로빈슨은 세계에서 가장 유명한 연설가입니다. 많은 유명인들의 멘토링과 지금까지 네 명의 미국 대통령이 멘토링도 했었죠. <life mastery institute>이라는 그의 세미나 가격은 1,500만 원 ~ 5,000만 원이며 세미나 참석 전 참가자 심사까지 한다고 하는데요. 그의 세미나 중 '부정적인 생각을 2분 만에 떨쳐내는 방법' 대해 설명합니다. 집중하세요.

2분 동안 여러분께 간단한 컨셉에 대해서 먼저 설명해줄게요. 모두는 목표를 가지고 있죠. 여러분들이 노력하는 무언가요. 그 새로운 결과를 얻으려면 당연히 새로운 행동을 해야 합니다. 모두 아는 사실이죠. 행동이 같은데 새로운 결과는 안 나타나니까요. 같은 결과만 나오겠죠. 인간이 할 수 있는 것들은 정말 대단한데도 대부분의 사람은 형편없는 행동만 해요. 능력이 부족한 게 아니라 새로운 행동을 안 하기 때문이에요. 그 이유는 우리의 감정상태 때문입니다. 감정에 지배당하는 거죠. 조바심이 나고 실패한 것 같은 감정들요. 하지만 당신이 두려움의 감정을 느낄 때 두려움은 행동에 보여지고 결과로 나타납니다. 그래서 인생을 바꾸는 가장 중요한 방법은 결과를 바꾸는 것인데 결과를 바꾸려면 행동을 바꾸어야 하고 행동을 바꾸려면 감정 상태를 바꿔야 합니다.

자 그럼 어떻게 바꿀까요? 이미 감정에 사로잡히거나 압도당한 상태에서요.

'제가 세계 최고 운동선수들 4명의 미국 대통령에게도 가르친 방법이에요. 억만장자 고객들도 배웠습니다.'

감정 상태를 바꾸는 것은 생각만으로 되는 게 아니에요. 나는 행복하다를 반복한다고 되는 게 아니에요. 당신의 뇌가 거짓인 걸 이미 알고 있으니까요. 그렇기에 우리가 해야 하는 것은 근본적인 변화입니다. 몸을 이용해 생리학적으로 접근할게요. 어려워 보이지만 그냥 몸을 이용한다는 거예요. 움직이는 템포를 바꿔요. 어깨를 당당히 펴고 숨을 더 고르게 쉬세요. 움직임을 생동감 있게 하고 말도 좀 빠르게 한다면 이 행동들이 당신 몸 안에서 화학작용을 만들어냅니다. 그리고 새로운 감정 상태에 접어들어 완전히 다른 행동을 이끌어내게 됩니다. 저는 40년 넘게 이걸 가르쳤어요. 그리고 3년 전에 하버드에서 과학적으로도 입증이 되었죠. 그리고 '파워 포지션'이라고 이름 지었죠. 정말 간단합니다. 양손을 허리에 올리세요. 원더우먼이나 슈퍼맨처럼요. 이렇게 선 상태에서 숨을 깊게 쉬세요. 단 2분 동안 만요. 이 행동의 과학적 결과는 당신은 2분 안에 무조건 테스토스테론(자신감 호르몬)이 20% 증가하고 남녀 모두 포함입니다. 그리고 당신의 몸안의 스트레스 호르몬인 코르티솔은 22% 감소합니다. 그리고 두려움에 사로잡혀서 하려고 하지 않던 새로운 행동을 할 가능성이 33% 증가합니다. 만약 당신이 앉아있다면 머리에 깍지를 끼고 다리를 올려놓는 행동도 같은 효과를 일으켜요. 이 행동들이 당신에게 확신과 자신감을 주기 때문입니다. 그리고 그 자신감이 새로운 행동을 하게 하는 거죠.

앞서 보신 방법은 조던 피더슨의 책 《인생의 12가지 법칙》에서도 첫 번째 챕터로 나오는 부분입니다. '어깨를 펴고 똑바로 서라.' 자신감 있는 자세가 끼치는 영향은 인간뿐 아니라 동물들에게도 같은 결과를 불러옵니다. 두 번째 방법은 마인드에 관한 방법입니다.

당신이 언제라도 당신이 가장 힘들다고 생각할 때 부모님이 아프시거나 사업이 안 되고 연인관계 문제 혹은 불안하고 초초할 때 당신은 두려움의 감정 상태에 들어가게 됩니다.
나쁜 행동을 만들고 엉망인 결과를 불러오죠. 그 결과를 뇌는 이렇게 받아들이죠. "내가 말했지 너 못한다고." 그렇게 부정적인 늪에 빠지는 거죠. 이 상태를 벗어나는 방법은 자신에게 새로운 질문을 하는 겁니다. 제 질문을 곰곰이 생각해보세요. 무엇이 인생에서 가장 자랑스럽나요? 당신이 느끼는 가장 자랑스러운 것에 집중해보세요.

여러분의 아이들 가족 혹은 성취한 것들 말이죠. 가짜 아닌 진심에서 우러나오는 자랑스러움이요. 누구라도 하나쯤은 있잖아요. 자 그럼 이제 눈을 감고 그 기분에 집중하세요. 당신이 자랑스러운 그 느낌을요. 그리고 그때의 기분을 다시 느껴보세요. 그때처럼 숨을 쉬어보세요. 여유 있게! 그리고 마치 기분 좋은 아이처럼 기쁜 감정을 숨기지 말고 웃음 짓는 거예요. 자 이번엔 당신이 감사한 것에 대해 집중해보세요. 혹은 당신의 가슴을 뛰게 하는 일을요. 사람 혹은 특정 순간들 아니면 원하는 것을 말이죠. 그 감정에 집중해보세요. 눈을 감고 그 감정에 집중하는 거예요. 가슴 뛰게 하는 것에 말이죠.

그리고 그게 일어난 것처럼 느껴보세요. 건강이 되찾아지고 사업이 번창하고 연인관계 회복, 두려움을 극복하는 것을요. 그렇게 인생을 온전히 바뀜을 느끼고 그 느낌대로 숨을 뱉어보세요. 그리고 그 기분을 소리쳐보세요. "오 예! 와우! 오오오오오! 해보자! 해보자! 파이팅! 좋았어!" 이 방법으로 감정 상태를 바꾸세요. 좋은 것에 집중하고 움직임을 바꾸는 거죠. 제 마지막 질문입니다. 여러분이 원하는 것에 집중한다면 보장된 건 아니지만 엄청난 가능성이 존재해요. 그러니 가능성을 늘려가세요. 감정 상태를 바꾸면서요. 그게 제 세미나의 핵심이에요. "몸과 마인드를 바꿔 가는 방법이었습니다."

밤하늘에 뜬 별들이 더 멋지고 소중한 이유는 별들을 감싸고 있는 어둠 때문이라는 말이 있습니다. 마찬가지로 필연적으로 느끼게 되는 부정적인 생각들과 상황들이 각자의 꿈을 더 빛나게 해주는 어둠 같은 존재 같습니다. 이 방법들이 여러분의 인생에 어둠이 찾아왔을 때 마음가짐을 바꿀 수 있는데 사용되기를 바랍니다.
<유튜브 터닝포인트 - 위대한 성공의 시작점>

간단히 정리를 해보겠다. 결과를 바꾸려면, 결과를 내려면 먼저 행동을 바꿔야한다. 그래야 감정 상태가 바뀌어 원하는 결과를 만들 수 있다. 긍정적인 생각만으로 안 되기에 과학적으로 증명된 원더 우먼 자세, 슈퍼맨 자세 '파워 포지션'을 2분 동안 평상시 꾸준히 하면 자신감 호르몬이 상승하고 스트레스가 내려가서 부정적인 감정이 컨트롤이 되어 하는 일을 더 집중하게 되서 목표한 것을 이루게 된다.

토니 로빈스가 말한 미국 대통령 4명의 스피치 멘탈 관리법, 몸과 마인드를 바꿔 가는 방법을 간단명료하게 초등학생도 알아들을 수 있는 방법이 필자가 하고 있는 "Body(몸) 스피치, Head(머리) 스피치, Mind(마음) 스피치 학습, 연습, 훈련하는 방법 320가지"라는 것이다. [320가지 안에 방탄 리더 스피치, 방탄리더십, 스피치 자존감, 스피치 멘탈, 스피치 습관, 스피치 행복, 스피치 자기계발, 스피치 코칭을 생활 속에서 실천할 수 있는 방법이 포함되어 있다.]

그런데 아이러니 하게도 아무리 하버드대학에서 과학적으로 증명을 하고 1,500만 원 ~ 5,000만 원 가치가 있는 성공자의 노하우일지라도 2분 동안 원더 우먼 자세, 슈퍼맨 자세 '파워 포지션'을 90%의 사람들은 꾸준히 하지 않는다. 또한 토니 로빈스가 말하는 방법을 간단히 정리한 필자의("Body(몸) 스피치, Head(머리) 스피치, Mind(마음) 스피치 학습, 연습, 훈련하는 방법 320가지")방법일지라도 90%의 사람들은 따라 하지 않는다. 왜 그런지 아는가?

20,000명 심리 상담, 코칭 하면서 알게 된 것은 대가 지불이 많을수록 사람의 심리인 '본전 정신'이 생겨 동기부여, 행동, 실천이 잘 되는데 유튜브 영상 5분(대가 지불 강도 -10,000)보고 지금 보고 있는 책값만큼만 대가지불을 하니 바로 행동을 못하는 게 당연하다.

토니 로빈스의 세미나 가격인 1,500만 원 ~ 5,000만 원을 지불 하고 직접 가서 들었다면 본전 뽑기 위해서 어떻게든 실천했을 것이다. 돈이 어마어마하게 들어가야만 동기부여, 행동, 실천이 잘 되는 건 아니지만 결과를 만들고 변화, 성장하고 실천하는 사람들은 가치가 있는 것에 과감하게 금전적인 대가 지불을 무조건 한다는 것을 명심하자!

동기부여, 행동, 실천을 잘 할 수 있는 유일한 방법은 꾸준하게 전문가의 A/S, 피드백, 관리를 받는 것이다. 그래서 동기부여, 행동, 실천이 잘 안 되는 사람들을 위해서 최보규 방탄자기계발 전문가의 코칭을 받는 사람들은 세계 최초로 150년 A/S, 피드백, 관리를 해준다는 것이다. 지금 당장 상담받아라!

www.방탄자기계발사관학교.com

"때론 감정, 표정, 행동이 말보다 더 말을 한다."
"때론 Body(몸) 스피치, Head(머리) 스피치, Mind(마음) 스피치가 말보다 더 말을 한다."

리더의 스피치에서
삼성(진정성, 전문성, 신뢰성)이 느껴지지 않으면... 자존감이 낮은 스피치를 하면... 멘탈이 낮은 스피치는를 하면... 안 좋은 스피치 습관이 있으면... 행복을 느끼지 못하는 스피치를 하면... 리더가 스피치 자기계발을 하지 못하면... 인재 양성 코칭 스피치 매뉴얼, 시스템이 없다면... 리더가 어떻게 살았는지 앞으로 인생을 어떻게 살아갈지 알게 해준다.

방탄 리더 스피치 7단계와 Body(몸) 스피치, Head(머리) 스피치, Mind(마음) 스피치 학습, 연습, 훈련은 살아온 날로 살아갈 날 단정 짓지 않게 하고 "지금 처럼이 아닌 지금부터"라는 태도로 때를 기다리는 리더가 아닌 때를 만들어 가는 리더로 변화가 아닌 진화를 시켜준다. 방탄 리더 스피치 7단계와 Body(몸) 스피치, Head(머리) 스피치, Mind(마음) 스피치는 스펙이다. 꾸준히 학습, 연습, 훈련을 통해 익히는 것이다.
세계에서 방탄 리더 스피치 학습, 연습, 훈련 하는 곳은 www.방탄리더사관학교.com 뿐이다.

커리큘럼

클래스명	내용	2급 (온,오프라인)	1급 (온,오프라인)
CLASS 1 방탄 리더십 본질	노벨상 수상자 리더십 성공한 리더의 리더십은 다 잊어라!	1H	선택한 과 5H ---------- 선택한 분야 5H
CLASS 2 방탄 리더 자존감, 멘탈	스트레스 관리, 마인드컨트롤이 잘 되는 리더 자존감, 멘탈 배터리 고속 충전하는 방법	1H	
CLASS 3 방탄 리더 습관, 행복	삼성(진정성, 전문성, 신뢰성)을 높이는 습관을 통해 리더 행복을 지키는 방법	1H	
CLASS 4 방탄 리더 자기계발 방탄 리더 동기부여	리더 자기계발,동기부여책 200권, 영상 300개, 교육을 들어도 리더 자기계발,동기부여가 안 되는 이유? 방탄 리더십 셀프 충전 사용 설명서 (도구 설명)	1H	
CLASS 5 방탄 리더 품위유지의무	퇴사를 막고 인재가 오래 머물게 하는 방탄 리더 품위유지의무 10계명 총 정리	1H	

국가등록 민간자격증

★ 자격증명: 리더십코칭전문가 2급, 1급
★ 등록번호: 2023-000126
★ 주무부처: 교육부
★ 자격증 종류: 모바일 자격증

BULLETPROOF LEADER MILITARY ACADEMY

✔ 일시, 시간 ─────────────

▶ 수시 모집 (상담)

▶ 13:00 ~ 18:00 (기본 5시간)
　시간 조정 가능!(10H, 15H, 20H)

✔ 자기계발 비용, 인원 ─────

▶ 비용 상담

▶ 1:1 코칭(온,오프라인)

✔ 장소, 상담 ─────────────

▶ 장소 상담 후 상황에 따라 변동 사항

▶ 한 번의 상담이 인생 터닝포인트
　150년 A/S, 관리, 피드백
　최보규 원장 010-6578-8295

리더십코칭전문가 1급

한 개 과 선택! 5시간 집중 코칭!

방탄 리더십과

리더 사명감과	리더 기본기과	리더 태도과
리더십 식스펙(PT)과	리더 감정컨트롤과	리더 인간관계과
리더 소통과	리더 스토리텔링과	리더 스피치과
리더십 은퇴 준비과	리더 천재일우과	리더 7대 의무교육과
리더 자존감과	리더 멘탈과	리더 습관과
리더 행복과	리더 자기계발, 동기부여과	리더 재테크과
리더 방탄book기술력과	리더 책 쓰기, 출간과	리더 유튜버과
리더 강사과	리더 코칭과	리더 인재양성과

리더십코칭전문가2급 필기/실기

\#. 자격증 검증비, 발급비 50,000원 발생
　(입금 확인 후 시험 응시 가능)

▶ 0강~10강(객관식):(10문제 = 6문제 합격)

▶ 11강(주관식):(10문제 = 6문제 합격)

▶ 시험 응시자 문자, 메일 제목에 리더십코칭전문가
　2급 시험 응시합니다.
　최보규 010-6578-8295 / nice5889@naver.com

▶ 네이버 폼으로 문제를 보내주면 1주일 안에 제출!
　합격 여부 1주일 안에 메일, 문자로 통보!
　100점 만점에 60점 안되면 다시 제출!

리더십코칭전문가1급
필기/실기

리더십코칭전문가2급 취득 후 온라인(줌), 오프라인 선택 후 방탄리더사관학교 25가지 과에서 한개 과 선택!

한 분야 5시간 집중 코칭 후 2급과 동일하게 필기시험, 실기시험 (코칭 비용 상담)

카페에서 냅킨에 그린 그림이 1억?

카페에 피카소가 앉아 있었습니다. 한 손님이 다가와 종이 냅킨 위에 그림을 그려 달라고 부탁했습니다. 피카소는 상냥하게 고개를 끄덕이곤 빠르게 스케치를 끝냈습니다. 냅킨을 건네며 1억 원을 요구했습니다.
손님이 깜짝 놀라며 말했습니다. 어떻게 그런 거액을 요구할 수 있나요? 그림을 그리는 데 1분밖에 걸리지 않았잖아요. 이에 피카소가 답했습니다.

아니요. 40년이 걸렸습니다. 냅킨의 그림에는 피카소가 40여 년 동안 쌓아온 노력, 고통, 열정, 명성이 담겨 있었습니다. 피카소는 자신이 평생을 바쳐서 해온 일의 가치를 스스로 낮게 평가하지 않았습니다.

《확신》

특허청 등록
최보규 리더동기부여 코칭전문가
등록 번호: 제 40-2128786호

★★★★★ 차별이 아닌 초월 시스템 ★★★★★

누구나 방탄 리더가 될 수 있었다면
난 절대로 방탄리더사관학교를 선택하지 않았을 것이다!

Google 자기계발아마존　　▶YouTube 방탄자기계발　　NAVER 방탄리더사관학교　　NAVER 최보규

이코노미 방탄 리더PT

기본 5H : 3,000,000원

CHECK POINT

- ☑ 기본 1회(1일=5H)
- ☑ 방탄 리더십 **기본 교육**(자격증 포함)
- ☑ 150년 A/S, 관리, 피드백

특허청 등록
최보규 리더동기부여 코칭전문가
등록 번호: 제 40-2128786호

★★★★★ **차별이 아닌 초월 시스템** ★★★★★

누구나 방탄 리더가 될 수 있었다면
난 절대로 방탄리더사관학교를 선택하지 않았을 것이다!

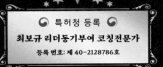

비지니스 방탄 리더PT

기본 10H : 5,000,000원

CHECK POINT

- ☑ 기본 1회(1일=5H/2회)
- ☑ 방탄 리더십 **중급 교육**(자격증 포함)
- ☑ 150년 A/S, 관리, 피드백

★★★★★ 차별이 아닌 초월 시스템 ★★★★★

누구나 방탄 리더가 될 수 있었다면
난 절대로 방탄리더사관학교를 선택하지 않았을 것이다!

 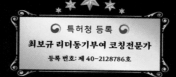

Google 자기계발아마존 ▶YouTube 방탄자기계발 NAVER 방탄리더사관학교 NAVER 최보규

퍼스트클래스 방탄 리더PT

기본 25H : 10,000,000원

CHECK POINT

- ☑ 기본 1회(1일=5H/5회)
- ☑ 방탄 리더십 고급 교육(자격증 포함)
- ☑ 150년 A/S, 관리, 피드백

방탄 리더십 시스템 PT

★★★★★ 차별이 아닌 초월 시스템 ★★★★★

방탄 리더십과

리더 사명감과	리더 기본기과	리더 태도과
리더십 식스펙(PT)과	리더 감정컨트롤과	리더 인간관계과
리더 소통과	리더 스토리텔링과	리더 스피치과
리더십 은퇴 준비과	리더 천재일우과	리더 7대 의무교육과
리더 자존감과	리더 멘탈과	리더 습관과
리더 행복과	리더 자기계발, 동기부여과	리더 재테크과
리더 방탄book기술력과	리더 책 쓰기, 출간과	리더 유튜버과
리더 강사과	리더 코칭과	리더 인재양성과

"리더는 강사처럼 말, 표정, 행동을 할 수도 있어야 한다." 가 아니라 무조건 강사처럼 말, 표정, 행동을 해야 한다. 그래서 강사의 본질을 알고 배워야 한다.

왜 리더는 강사처럼 말, 표정, 행동을 해야 하는지 알게 해주는 과학적인 근거를 알려주겠다.

처음 만나는 사람에게 무의식적으로 일어나는 3단계 심리.

1단계 : 친구인가? 적인가? 이는 잠재의식 속에서 이뤄지는 점검

2단계 : 승자인가? 패자인가?

누군가를 처음 만날 때, 우리는 상대의 자신감을 재빨리 재본다. 이 사람이 지도자처럼 보이는지, 아니면 추종자처럼 보이는지

3단계 : 동맹인가? 적군인가?

상대를 내 편에 끌어당길지 결정한다. 우리의 뇌는 상대가 내 편이 되어줄 정도로 나에게 호의적인지를 알고 싶어 한다. 3가지 질문에 긍정적으로 답했을 때, 우리는 그 사람의 첫인상을 높이 평가하고 믿게 된다.

TED 강연 유명한 영상 2개를 가지고 실험.
사이먼 사이넥
<위대한 리더들이 행동을 이끌어내는 방법>
필즈 워커-미우린
<존재하지 않는 리더십 설명서로부터 배운 것>

두 강연은 각 영역에서 존경받는 리더들이다. 둘 다 18분 정도 영상, 큰 차이점이 생겼다. 사이넥 강연 250만 조회 수, 워커-미우린 강연 72만 조회 수 왜 이런 커다란 격차가 발생했을까?

그 격차를 알아보기 위한 실험 조회수는 비공개로 했다. 각 집단 별 7초만 시청하고 평가 기준은 신뢰성, 카리스마, 이해도, 퍼포먼스였다.
두 집단 실험 결과 별 차이 없이 사이넥 영상이 점수가 높았다!
높은 조회 수와 낮은 조회 수를 기록한 영상 간의 차이를 찾기 위해 수백 시간 테드 강연 분석했다.
손의 움직임 숫자로 기록, 목소리의 변화, 미소, 몸의 움직임.
첫인상을 좌우하는 것은 무엇을 말하는지가 아니라 어떻게 만드는지에 달려 있었다. 최고의 강연자들은 주제를 꺼내놓기도 전에 청중들과의 관계를 레벨업시킨다.

최고의 테드 강연자들이 사용한 비언어적 기술 3가지.
첫 번째 기술 두 손이 잘 보이게 드러내라.
인기 없는 강연자들은 손짓을 평균적으로 272번 사용.
인기 많은 강연자들은 손짓을 평균적으로 465번 사용.

사이먼 사이넥, 템플 그랜딘, 제인 맥고니걸
18분 동안 손짓을 600번 이상 사용! 이런 효과는 테드 강연자에게만 한정되는 것이 아닌 한 연구에 따르면 면접에서 더 많은 손짓을 사용한 구직자가 합격률이 높다고 합니다. 손짓은 왜 그토록 큰 영향력을 지녔을까? 우리는 손에서 의도를 읽기 때문이고 심리적으로 상대 손을 볼 때 편안해하고, 친근함을 느끼며, 스킨십(악수)을 하면 옥시토신 친밀함 호르몬이 만들어져서 신뢰를 더 얻게 한다!

비언어적인 방법으로 신뢰를 끌어내는 기술
첫 번째 손 제스처 많이 하고 손바닥을 많이 보여 주고 스킨십(악수)를 해라!

두 번째 승자처럼 보일 것, 승자를 사귈 것
카네기멜론대학교 연구. 전문가의 자신감은 그 사람의 명성이나 기술, 또는 경력보다 더 중요하다. 자신감은 왜 그렇게 중요한가? 인간의 심리는 끊임없이 승자를 찾기 때문에 승자가 우리 팀이길 바라고 승자와 인연 맺기를 좋아하며 승자가 우리를 이끌길 원한다! 사람의 심리는 승리와 패배를 널리 알리는 비언어적인 방법이 프로그램화 되어있다. 그래서 비언어적인 파워 포즈 자세를 취함으로써 상대방에게 신뢰를 더 줄 수 있다.

세 번째 인연을 시작하려면 눈을 맞추어라.
누군가가 신뢰할 만하고 승자라고 판단되면 3가지 질문으로 동맹 의지를 확인합니다. 이 사람이 나를 좋아하는가? 이 사람은 내 의견을 존중해줄까? 이 사람은 내 편이 되어 줄까? 최고의 테드 강연자들은 사랑이 넘치는 엄마가 자식을 대하듯 청중들을 대하고 존중을 하며 청중에게 말하는 것이 아니라 이야기를 나눈다.
《캣치》

리더는 많은 사람을 직접적으로 상대하는 위치다. 그래서 리더에게는 사람의 심리 공부는 필수다.

리더가 비언어적인 방법으로 신뢰를 끌어내기 위해서는 첫 번째 기술: 두 손 이 잘 보이게 드러내라(제스처, 손바닥, 스킨십, 악수) 두 번째 기술: 승자처럼 보일 것(파워포즈 원더우먼 자세, 출동자세) 세 번째 기술: 눈을 맞추어라. (믿음, 존중, 배려, 사랑하는 눈빛)

당신의 강의 능력 10초면 판단한다?

하버드 대학의 날리니 앰바디 교수는 대학생들을 상대로 처음 보는 교수의 호감도와 능력에 대해 평가하게 했다. 강의하는 교수의 모습이 담긴 비디오테이프를 10초간 보여준 뒤 학생들로 하여금 그 교수가 얼마나 잘 가르치는지, 또 얼마나 호감이 가는지를 평가하게 했다. 비디오테이프는 강의 내용을 들을 수 없도록 소리는 삭제한 상태였다.

이런 식으로 13명 교수들의 강의 능력이 평가되었다. 그런데 이들의 평가는 한 학기 동안 실제로 강의를 들었던 학생 수백 명의 평가와 거의 차이가 없었다. 더욱 놀라운 것은 10초짜리 비디오 영상을 5초, 혹은 2초까지 줄인 것을 보고 평가한 경우에도 10초짜리 비디오를 본 경우와 거의 차이가 없었다는 사실이다.

앰바디 교수는 비디오 영상을 통해 평가자들이 본 구체적인 비언어적 행위들이 무엇인가를 조사해보았다. 그 결과 손을 만지작거리는 것, 손으로 물건을 만지작거리는 것, 눈살을 찌푸리는 것, 몸을 앞으로 기울이는 것, 자꾸 바닥을 바라보는 것 등이 부정적 평가의 결정적 요인이었다. 반면에 고개를 끄덕이는 것, 활짝 웃는 것, 미소 짓는 것 등은 긍정적이고, 확신에 차 있고, 활기차고, 열정적이라는 느낌을 주었다. 이와 같은 긍정적인 태도를 보인 교수들에게 긍정적인 호감도와 유능감을 이끌어낸다는 것이다.

호감을 주면서 존중심도 불러일으키는 소통능력에는 말하기 방식, 표정이나 제스처 등 비언어적 행위들을 들수 있다. 여기 연구에서 알수 있는 것은 비언어적 행위들도 결정적인 역할을 한다는 것이다.

긍정적인 비언어적 행위는 미소, 자신감 있고 열정적인 태도, 긍정적 표정 등이다. 이 연구는 비언어적인 긍정적 정서의 습관화와 훈련이 중요함을 말해주고 있다.
《회복탄력성》

습관화와 훈련이 중요함을 다시 한 번 강조해주는 스토리텔링이다. 리더 스피치 습관의 자세한 설명은 《방탄리더 스피치 3》에서 나온다. 위의 스토리텔링을 뒷받침해주는 메리비언의 법칙이 있다. 스피치에 관심 있는 사람이라면 귀가 아프도록 들었을 것이다.

그 어떤 방법, 공식, 법칙이든 30%만 벤치마킹하고 70%는 자신 경험, 시행착오 대가 지불, 인고의 시간이 필요하다는 것을 명심하자!

★ 리더 스피치는 공식 30%, 스피치 습관 70%로 이루어진다.

다음은 스피치에서 가장 중요한 것이 무엇인지 깨닫게 해주는 메라비언의 법칙 설명 내용이다.

메라비언의 법칙
한 사람이 상대방으로부터 받는 이미지는 시각이 55%, 청각이 38%, 언어가 7%에 이른다는 법칙이다. 캘리포니아대학교 로스앤젤레스캠퍼스(UCLA) 심리학과 명예교수인 앨버트 메라비언(Albert Mehrabian)이 1971년에 출간한 저서 《Silent Messages》에 발표한 것으로, 커뮤니케이션 이론에서 중요시된다. 특히 짧은 시간에 좋은 이미지를 주어야 하는 직종의 사원교육으로 활용되는 이론이다.
시각이미지는 자세·용모와 복장·제스처 등 외적으로 보이는 부분을 말하며, 청각은 목소리의 톤이나 음색(音色)처럼 언어의 품질을 말하고, 언어는 말의 내용을 말한다. 이 이론에 따르면, 대화를 통하여 상대방에 대한 호감 또는 비호감을 느끼는 데에서 상대방이 하는 말의 내용이 차지하는 비중은 7%로 그 영향이 미미하다. 반면에 말을 할 때의 태도나 목소리 등 말의 내용과 직접적으로 관계가 없는 요소가 93%를 차지하여 상대방으로부터 받는 이미지를 좌우한다는 것이다.

〈두산백과〉

리더라면 조직체원들에게 무의식적으로 일어나는 3단계 심리(1단계: 친구인가? 적인가? 2단계: 승자인가? 패자인가? 3단계: 동맹인가? 적군인가?), 비언어적 기술 3가지(첫 번째 두 손이 잘 보이게 드러내라, 두 번째 승자처럼 보일 것, 세 번째 눈을 맞춰라), 메리비언의 법칙(시각 55%, 청각 38%, 언어 7%)은 선택이 아닌 필수로 학습, 연습, 훈련을 해야 한다. 리더가 왜 강사처럼 말, 표정, 행동을 해야 하는지 1,000% 감이 오는가? 리더 스피치는 들어라 스피치가 아니라 듣게 하는 스피치가 되어야 한다? 듣게 하는 스피치가 어떤 것일까? 진심 스피치, 나다운 스피치다. 진심, 나다운 스피치는 어떻게 나오는 것인가?

다음은 진심 스피치, 나다운 스피치, 사람들에게 들으라고 말하지 않아도 듣게 하는 스피치가 무엇인지 깨닫게 하는 스토리텔링이다.

사람들은 어떤 스피치에 열광하는가?
여기 한 남자가 강단에 올라와 스피치를 시작합니다.
"제 아버지는 트럭 운전수였습니다. 트럭 운전수는 굉장히 힘들고 고된 직업이었습니다. 1960년 매우 춥던 한 겨울날 제 아버지는 일을 하다가 얼음 판 위에서 넘어졌습니다. 그래서 아버지는 다리와 엉덩이 뼈가 부러지는 부상을 입었죠. 1960년대 미국에서는 만약 당신이 교육도 받지 못한 노동자이고 일을 하다가 부상을 입으면 당신은 바로 해고를 당합니다. 그리고 바로 그 일이 아버지에게 일어난 거죠. 제가 일곱 살 때 집에 돌아와 보니 아버지는 엉덩이부터 발목까지 깁스를 하고 누워 계셨죠. 일자리도 없었고 건강 보험도 없었고 보상금도, 미래도 없이 말이죠. 저는 절대 상상해 본 적이 없었습니다.

공영 주택에서 살던 어린 꼬마인 제가 회사를 세우거나 운영할 거라고 말이죠. 하지만 저는 항상 트랙의 반대편에 있는 사람들에 대한 느낌이나 감정을 항상 가지고 있었습니다. 그래서 1987년에 저희가 회사를 시작했을 때, 스타벅스는 미국에서 모든 직원들에게 건강보험을 제공하는 첫 번째 회사가 되었습니다."

눈치채셨나요? 그는 스타벅스에 대표 하월드 슐츠입니다. 그가 하는 스피치는 기가 막힌 슬라이드쇼도 없었고 멋들어진 제스처도 없었죠. 하지만 그의 스피치는 사람들을 사로잡습니다. 책 <최고의 설득>에서 카민 캘로는 세계 정상들의 스피치를 분석합니다. 스티브 잡스는 어떤 방식으로 스피치를 하는지 오프라 윈프리는 어떤 전략을 사용하는지 말이죠.

유명한 스피처들은 때론 청중을 유머를 사용해 웃기기도 하고 쉬운 단어를 사용해 그들의 이해도를 높이기도 합니다. 그들의 목소리에는 힘이 있고 적당한 제스처를 올바른 때 사용하기도 하죠. 그러나 어떤 스피치에 사람들이 열광하는가에 이유로 저자는 다른 관점을 제시합니다. 그가 주목한 것은 바로 그들이 가지고 있는 "이야기 그 자체"입니다.

하워드 슐츠는 앞에서 보았듯 자신이 어려웠던 어린 시절과 아버지에 관한 지극히 개인적인 이야기 통해 회사의 사명과 가치관을 설명합니다. 아버지의 이야기는 그의 회사가 추구하는 가치에 대한 이야기와 단단히 묶여 실제로 그가 하고자 하는 말에 힘을 실어 줍니다.

그는 이렇게 말합니다. "커피는 우리가 파는 제품일 뿐 우리가 하는 사업은 아닙니다. 우리는 커피를 파는 사업이 아니라 사람을 위한 사업을 합니다. 사람 사이의 유대가 중요합니다." 실제로 스타벅스는 임시직을 비롯한 모든 직원들에게 포괄적인 의료보험 제공했고 5년 동안

1만 명의 제대 군인을 채용했습니다. 그러나 그는 항상 스피치에 시작에 아버지가 실직해 쇼파에 누워있는 것을 본 7살 소년을 이야기합니다.

우리의 뇌는 고생담을 거부하지 못합니다. 실제로 신경과학자 유리해슨은 2010년 발표한 논문에서 경험담을 이야기한 화자와 그것을 들은 청자 사이에 신경동조화가 폭넓게 이루어진다는 사실을 밝힙니다.
대단하다고 느꼈던 사람이 흥쾌이 자신의 치부를 드러내며 "나도 항상 성공만 했던 게 아니다."라고 말하면 귀를 기울이게 되죠. "열심히 일하라"는 말이나 "실패해도 괜찮다." 말을 누구나 할 수 있습니다. 그러나 자신이 겪은 이야기(쓰라렸던 실패의 경험, 고뇌의 시간)는 쉽게 할 수 없습니다.

오프라 윈프리는 자신의 유년 시절에 겪은 인종차별, 성폭행 등 어찌보면 부끄러웠던 자신의 불행했던 순간을 전 세계의 사람들과 기꺼이 공유합니다. 16살 때 그의 마야 안젤루에 자서전 《새장에 갇힌 새가 왜 노래하는지 나는 아네》를 읽습니다. 그녀는 그 책이 바로 삶의 전환점 역할을 하게 되었다고 말 하죠. 그녀는 사람들 앞에서 말하는 재능을 연마해 이름을 알리겠다는 다짐을 하게 되었고 실제로 그녀는 사람들을 고무시키는 여성 리더가 되었습니다.

스티브 잡스는 컴퓨터를 만들지 않습니다. 그는 삶을 풍요롭게 만듭니다.

하워드 슈츠는 커피 파는 일을 하지 않습니다. 그는 사람을 위한 비즈니스를 합니다.

오프라 윈프리는 토크쇼 진행자가 아닙니다. 그녀는 사람들의 의식 수준을 높입니다.

그리고 그들의 스피치와 그 속에 담긴 살아있는 그들의 이야기는 최고의 설득이 되어 사람들의 마음을 움직입니다.

《최고의 설득》〈유튜브 책그림〉

사람마다 느끼는 것이 다를 것이다. 필자가 느낀 것을 정리를 하면 진심 스피치, 나다운 스피치가 나와야 사람들의 마음을 얻을 수 있다. 그렇다면 어떻게 진심 스피치, 나다운 스피치를 할 수 있을까?

첫 번째 자자자자멘습긍 학습, 연습, 훈련
(자존감, 자신감, 자기관리, 자기계발, 멘탈, 습관, 긍정)
자자자자멘습긍을 꾸준하게 학습, 연습, 훈련을 하고 있
다면 자연스럽게 진심, 나다운 스피치가 나온다. 말주변
이 없는 사람이라도 자신이 겪었던 스토리를 말할 때
목소리 톤이 올라가고 자신감 넘치는 말을 한다. 이것이
나다운 스피치다. 자신의 상처, 트라우마, 콤플렉스, 열
등감, 치부까지 말 할 수 있게 하는 것이 자자자자멘습
긍이다. 가식적이지 않고 숨김이 없는 솔직한 스피치가

213

마음을 움직인다.

방향, 목표, 가치관이 분명해야 한다.
리더 스피치는 삶에서 우러나오는 스피치가 나와야 한다. 생황 속에서는 개차반처럼 생활하면서 말만 번지르하게 한다면 진심을 느낄 수 없고 조직체원들은 그 말을 들었을 때 "너나 잘하세요. 리더 당신이나 잘하면서 말하세요. 자신도 안 하면서 우리에게만 하라고만 하네. 솔선수범 하면 할게요. 하는 짓을 보면 리더는 내가 회사를 빨리 퇴사하게 만들어"라는 태도로 마지못해 따르는 척하게 만든다.

리더가 방향, 목표, 가치관을 분명하게 말을 하며 생활 속에서 행동까지 뒷받침이 된다면 조직체원들은 "역시 우리 리더 방향, 목표, 가치관이 뚜렷한 분이야. 솔선수범까지 하면서 말을 하니 믿음이 가네. 우리 리더는 내가 좋은 사람이 되고 싶도록 만들어"라는 태도로 따르게 만든다.

혼자 잘 살기 위한 태도가 아닌 함께 잘 되기 위한 태도가 있어야 한다.
리더를 떠나서 사람의 심리는 혼자 잘 살기 위한 태도가 강하면 이기적인 스피가 나올 수밖에 없다. "사소한 것이라도 함께 잘 살자, 사소한 것이라도 도움이 되었으면 좋겠다."라는 태도가 강하면 스피치가 함께 잘 살기 위한 스피치가 나올 수밖에 없다.

사람들은, 조직체원들은 어떤 스피치를 원할까? 누구에게 물어봐도 함께 잘 살기 위한 스피치를 원할 것이다.

세상에서 최고의 스피치는 스티브 잡스, 하워드 슐츠, 오프라 윈프리 스피치가 아니다. 진심 스피치, 나다운 스피치를 하기 위한 3요소가 융합이 되어 나오는 스피치가 자신에게는 최고의 스피치다.

★ 리더의 1D, 2D, 3D, 4D 스피치!

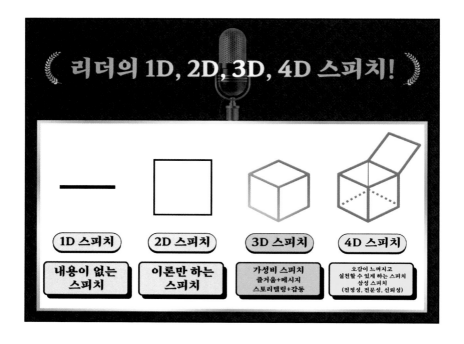

다음은 리더는 왜? 3D 스피치, 4D 스피치를 해야 하는 이유를 알려주는 내용이다.

강사님 강의는 1D 강의? 2D 강의? 3D 강의? 4D 강의? 청중, 학습자 앞에서 파워포인트를 보면서 말만 하는 것이 강의가 아닙니다. 시대에 맞는 강의와 청중, 학습자가 원하는 강의 스타일이 있습니다. 세상이 빠르게 변화하고 있지만 그 상황을 누구나 알지만 자신 직업 속에 변화를 준비하는 사람은 드물다는 것입니다.

AI로 인해 수많은 직업이 사라진다고 하는 상황에서 강사라는 직업도 안전하지는 않다는 것입니다. 살아남기 위해 대체 불가능한 강사가 되기 위해서 남과 다른 강의, 강사와 청중, 학습자가 원하는 강의, 강사가 되기 위해서 치열한 현실 속에서의 변화를 해야 강사 직업을 오래 지속할 수 있습니다. 지금 하는 강의에서 어떻게 변화를 줄 것인가? 먼저 자신의 강의가 1D 강의? 2D 강의? 3D 강의? 4D 강의? 어떤 강의 유형인지를 알고 그 유형에서 업그레이드를 어떻게 해야 되는지를 알고 나서 준비해야 될 것입니다.

• 1D 강의: 내용이 없는 강의
- 강의 주제와 벗어나는 강의!
강의 주제와 상관없는 자기 자랑이 많은 강의, 강의 주제와 상관없는 자신 가정사 이야기를 많이 하는 강의, 강의 3가지 금기어(종교, 정치, 성적인 말)를 많이 사용하는 강의

- 이해가 안 되는 강의!
무슨 강의를 하는지 알 수 없는 강의, 의도하는 것이 무엇인지 알 수 없는 강의, 전문적인 내용이 많은데 뜻과 설명도 안 해주고 자신만 떠드는 강의

- 서론, 본론, 결론, 강의가 아닌 강사 자신의 기분이 내키는 대로 하는 강의!
강의 방향이 느껴지지 않는 강의.
청중, 학습자 분위기에 맞춰 강의 조절을 하는 것이 아니라 강사 자신 컨디션에 따라 강의를 조절하는 강의

• 2D 강의: 이론만 하는 강의
- 교과서 읽는 것처럼 하는 강의!
 PPT를 교과서처럼 읽고 청중, 학습자가 못 알아볼 정도로 글씨를 빼곡히 적어 눈을 피로하게 만들며 PPT에 사진, 그림도 자신만 알아볼 수 있는 크기로 강의 글씨만 읽어 주는 강의

- 감정이 느껴지지 않는 강의!
예시를 들어 줄 때 스토리텔링을 할 때 그 예시, 스토리에 맞는 감정들을 하지 않는 강의

2D 강의까지가 평균적인 강사들의 강의 스타일이고 20세기 강의 스타일입니다. 극단적으로 말씀드리면 호모사피엔스 시대의 강의 스타일이라는 것입니다. 시대에 맞는 강의 스타일을 만들어 가야 되는 것입니다. 왜? 명강사, 스타 강사, 1억 연봉 강사를 떠나서 오래 지속할 수 있는 강사, 나다운 강사가 되기 위해서입니다. 청중, 학

습자가 원하는 강의 스타일 시대에 맞는 강의 스타일 3D 강의, 4D 강의 참고하셔서 자신 강의 스타일에 융합을 잘 시켜 청중, 학습자에게 필요한 강사 대체 불가능한 강사가 되십시오.

• 3D 강의: 즐거움, 메시지, 스토리텔링, 감동을 통해 여러 가지를 접할 수 있는 강의
- 가성비 강의!
한 번의 강의로 즐겁고 메시지가 있으며 스토리텔링으로 이해가 잘 되어 감동까지 느끼며 배울 수 있는 강의, 다시 듣고 싶고 생각나는 강의, 끝나는 시간이 아쉬움을 주는 강의

- 머릿속에 그림이 그려지는 강의!
강사가 말하는 내용이 제스처, 감정이 접목이 되어 생생하게 느껴지게 하는 강의

• 4D 강의: 오감이 느껴지며 실천할 수 있게 하는 강의
- 생동감이 넘치는 싱싱한 강의!
액티비티한 강의 접목을 통해 지루하지 않은 강의, 4D 영화를 보는 듯한 생동감이 넘치며 실감나게 강의 내용에서 나오는 실물 도구를 활용해서 온몸으로 강의하는 강의

- 오감(시각, 청각, 후각, 미각, 촉각)까지 느껴지는 강의!

말로 표현하기 힘든 후각, 미각, 촉각을 강사의 스피치 속에서 감정, 표정, 온몸으로 표현을 통해 느끼게 해 주는 강의(오감 스피치)

- 그때뿐인 강의가 아닌 변화 동기부여가 되어 실천으로 옮길 수 있는 강의!

강의 시간 때만 느끼고 끝나는 것이 아닌 생활 속에서도 실천할 수 있게 실천 사용 설명서 도구를 청중, 학습자에게 주어 실천할 수 있게 도와주는 강의

《나다운 강사1》

20,000명 심리 상담, 코칭 하면서 리더 스피치에 대해 알게 된 것이 있다.

내용이 없는 1D스피치를 하는 리더 50%, 이론만 하는 2D스피치를 하는 리더 40%, 가성비 스피치(즐거움+메시지+스토리텔링+감동)인 3D스피치를 하는 리더 9%, 오감이 느껴지고 실천할 수 있게 하는 4D스피치를 하는 리더 1%다. 리더는 3D스피치, 4D스피치를 마스터해야지만 마지못해 1년을 따르는 리더십이 아닌 100년을 함께 하고 싶은 리더십이 나와 따르라 말하지 않아도 따르게 하는 것이다.

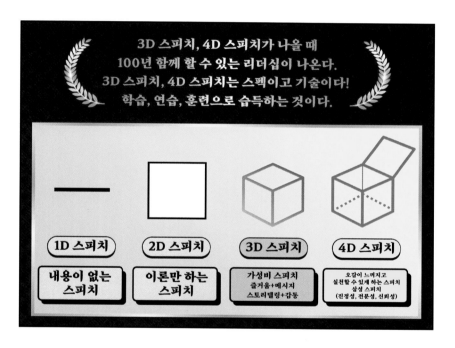

- 평균 희망 은퇴 73세, 현실 은퇴 49세이다. 20대 은퇴 예정자? 30대 은퇴 확정자? 40대 은퇴 위험군? 은퇴 십 골든타임

★ 리더십의 부모는 은퇴십이다?

다음은 지금 은퇴 현실을 알려주는 내용이다. 현실을 알아야 목표, 방향을 다시 잡고 행동할 수 있다.

55세~79세 1,500만 명, 은퇴했지만 생활비 벌려고...
[앵커]
만으로 쉰다섯 살에서 일흔아홉 살까지. 이미 은퇴를 했거나 은퇴를 앞두고 있는 나이죠. 이 나이의 인구가 처음으로 1,500만 명을 넘어섰습니다. 10년 만에 5백만 명이나 늘어났는데요. 하지만 이들의 경제 상황은 좋지가 않습니다. 연금을 받는 비율이 절반밖에 안 되고, 액수도 너무 적습니다. 배주환 기자가 전해드리겠습니다.

[리포트]
1943년부터 1967년까지. 이 사이에 태어난 인구는 1,500만 명입니다. 만 55세에서 만 79세까지입니다. 직장에서는 은퇴를 앞뒀거나 이미 은퇴한 나이지만, 절

반은 지난 1년 동안 연금을 한 푼도 못 받았습니다.

연금을 받은 나머지 절반도, 한 달 연금이 평균 69만 원에 불과했습니다. 올해 1인 가구 최저 생계비가 116만 원이니까 절반 조금 넘는 정도입니다. 150만 원 이상 받는 사람은 10명 중 한 명에 불과했습니다.

[김OO]
"지원이라는 건 거의 없어요. 국가에서 노령연금하고 연금 조금 나오는 거 있어요." 생활이 안 되니 일자리를 찾아 나섭니다.

[리포트]
일하고 있는 고령층은 877만 명. 고용률은 58%입니다. 둘 다 역대 최고입니다. 10명 중 7명은 계속 일하고 싶다고 답했습니다. 생활비에 보태고 싶어서가 가장 많았고, 일하는 즐거움이 뒤를 이었습니다.

[정OO]
"자식들한테 부담 안 주려고 놔두는 거예요. 있으나 마나예요. 솔직히 지들 살아야 하니까 하나도 안 보태줘요."

[리포트]
이 사람들은 평균 73세까지 일하길 희망했지만, 현실은
거리가 멉니다. 가장 오래 다닌 직장에서 그만둔 나이는
평균 49세. 사업 부진, 휴·폐업, 권고사직이나 명예퇴직
등 10명 중 4명은 자기 뜻과 상관없이 그만뒀습니다.
그렇게 오래 다니던 직장을 그만두고 난 뒤, 20년 넘게
불안정한 일자리를 찾아다녀야 한다는 뜻입니다.
<KBC뉴스 배주환 기자>

통계청에 의하면 희망퇴직 73세이고 은퇴 현실은 49세
다. 권고사직, 명예퇴직 10명 중 4명은 자신의 뜻과 상
관없이 그만둔다. 이런 현실 속에서 은퇴준비인 은퇴십
까지 미리 준비하지 않는 것은 "목표가 없는 배에는 순
풍이 불지 않는다."라는 말과 같다. 은퇴준비인 은퇴십
까지 미리 준비한다면 기댈 곳, 기대 심리가 생겨 지금
하는 일을 불안, 걱정, 고민이 아닌 안정적으로 더 집중
하게 만든다. "모르는 게 약인데, 나이가 몇인데 벌써
은퇴 준비야?" 이런 말 하는 사람들이 있다.

20,000명 심리 상담, 코칭 하면서 많이 물어보는 것이
"미리 준비하면 걱정을 미리 하는 거 아닌가요? 앞으로
의 걱정을 당겨서 할 필요는 없잖아요?" 불안한 부정의
걱정이 아닌 변화, 성장, 희망인 긍정의 걱정을 하자는

말이다. 걱정도 부정의 걱정, 긍정의 걱정이 있기에 상황에 따라 해석을 잘해야 한다. 모르는 게 약이 되는 상황이 있고 미리 아는 게 약이 되는 상황도 있다. 은퇴 준비인 은퇴십 준비는 긍정적인 걱정이라는 것이다. 예시를 하나 더 들어주겠다. 자존심 내세울 때(부정의 걱정)가 있고 자존심 내려놓을 때(긍정의 걱정)가 있다. 자존심 부릴 때가 언제인가? 명품 차, 가방을 가지고 다니는 사람들을 볼 때 인가? "아 자존심 상하네. 난 소형차인데 난 명품 가방도 아닌데..."

리더가 자존심을 내세울 때는 리더 보다 존중, 인정, 배려를 잘하는 리더를 봤을 때, 리더 자신이 멋져 보이려고 하는 게 아닌 따르는 사람을 멋지게 만들어 주는 리더를 봤을 때, 나눔의 실천을 잘 하는 리더를 봤을 때, 한참 나이가 어린 리더에게 보고 배울 게 있을 때...등이다.

멋진 리더가 되려 하지 말고 따르는 사람들을 멋지게 만들어 주는 리더가 되어야 한다.

리더가 은퇴 준비를 어떻게 하느냐에 따라 멋진 리더가 아닌 따르는 사람들을 멋지게 만들어 줄 수 있다.

'방탄 리더십'

인생이란 리더의 자존심을 내려놓을 상황이 90%고 리더 자존심을 내세 울 때가 10%다.

리더의 자존심은 개나 줘 버리자! 리더가 자존심을 내세 울수록 리더를 따르는

가족, 팀원, 조직체는 죽어가고 자존심을 죽일 때 리더를 따르는 가족, 팀원, 조직체는 산다!

★ 20대 은퇴 예정자? 30대 은퇴 확정자? 40대 은퇴 위험군? 은퇴십 골든타임!

누구에게나 오는 은퇴를 어떻게 받아들이고 은퇴 준비, 시기를 단계별로 나누어서 깨닫게 해주는 내용이다.

은퇴 준비는 선택이 아니라 필수이다.
흔히 요즘은 '백세 시대'라고들 한다. 아마도 인생을 30+30+30 '트리플 서티Triple thirty'라 표현하여 3단계로 나눈다면 훨씬 더 설득력이 있어 보인다. 처음 30년은 신체적으로 성장하여 교육을 받고 독립을 준비하는 시기이고, 다음 30년은 독립해서 한 가정을 이루어 경제활동을 하는 시기이며, 나머지 30년은 퇴직 후 제2의 인생을 살아가는 시기로 우리는 이 마지막 시기를 '인생 2막'이라 부르고 있다.

어쨌든 우리의 인생은 100세이든 90세든 분명 수명이 길어짐에 따라 마지막 인생 2막에 대한 관심이 커지고 있으며 이에 대한 준비도 새롭게 가져가야 될 것이다. 즉 우리들의 퇴직 후의 품격 있는 삶을 위해서는 무엇보다도 준비가 필수적이라 할 수 있다.
은퇴 준비가 잘되어 있는 사람은 은퇴가 불안을 야기하거나 무기력해지는 시기가 아닌 행복하고 품격 있는 생활을 가져 올 것이다. 자신이 선택한 여러 가지 여가 생활을 즐기는 시기이고, 또한 새로운 일이나 직업을 가질 수도 있는 여유로운 시기로 받아들일 수 있다.

하지만 은퇴 준비가 제대로 되지 못한 사람은 퇴직으로 인한 일상의 변화로 우울감, 대인관계 단절에 따른 외로움, 역할 변화에 따른 자기 정체감의 혼돈, 고립감 등을 느끼면서 은퇴를 부정적으로 받아들이게 될 것이다. 그런 사람은 지금까지 아무리 열심히 살아왔다 하더라도 '트리플 서티Triple thirty'의 마지막 30년을 망치게 되는 것이다. 그렇지 않기 위해서는 은퇴에 대한 준비는 반드시 필요한 것이다. ≪은준인≫ 김관열, 와일드북, 2019

<미래한국 김민성 기자>

평균 은퇴 나이 49세이다. 앞으로 은퇴 나이가 더 낮아지는 상황에서 은퇴십을 학습, 연습, 훈련해야만 리더십이 단단해져서 방탄리더십이 된다. 은퇴에는 그 누구에게도 자유롭지 않다. 20대 은퇴 예정자? 30대 은퇴 확정자? 40대 은퇴 위험군? 은퇴십 골든타임을 놓치지 않기 위한 은퇴십 학습, 연습, 훈련해야 한다.

리더라는 자동차에 브레이크는 은퇴십이다. 자동차의 브레이크는 어떤 역할인가? 사람 생명과, 자동차의 생명과 직결 되어있다. 리더의 은퇴준비는 가족, 팀원, 조직체원들을 끌어가는 브레이크 역할을 한다. 모든 도로에는 규정 속도가 있다. 속도를 줄이기 위해서는 브레이크를 활용해야 하듯 리더의 길이라는 도로에서 가족, 팀원, 조직체원들의 속도를 조절시켜줘야 한다. 은퇴십을 준비하는 것이 은퇴준비다.

리더여, 은퇴십을 지금 준비하지 않으면 은퇴 후 50년 인생은 후퇴하게 되어 50년 불행한 인생을 살 것이다. 은퇴 후 50년 행복하게 살고 싶다면 더 늦기 전에 은퇴십을 준비하자.

은퇴준비는 미래 준비이며 리더의 목표, 방향이다. 리더의 비전은 목표, 방향에서 나온다.

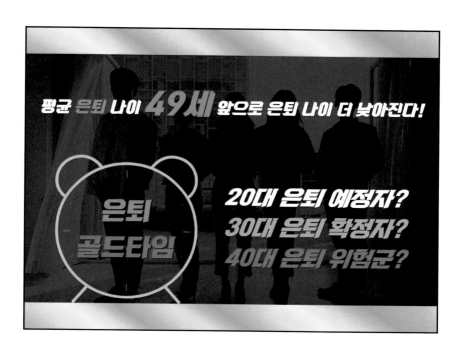

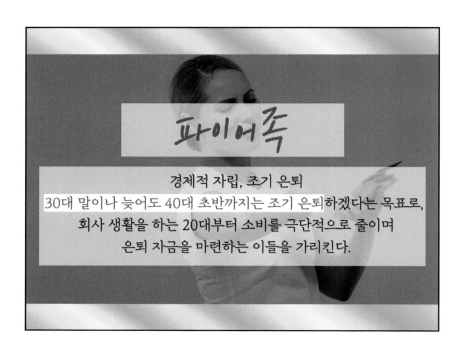

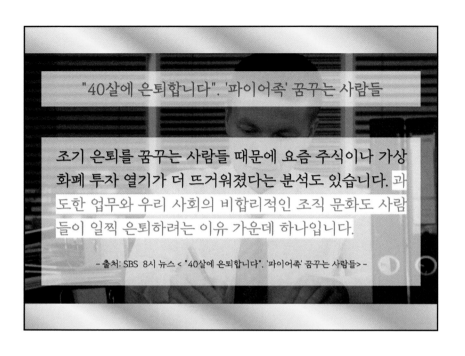

"40살에 은퇴합니다". '파이어족' 꿈꾸는 사람들

조기 은퇴를 꿈꾸는 사람들 때문에 요즘 주식이나 가상 화폐 투자 열기가 더 뜨거워졌다는 분석도 있습니다. 과도한 업무와 우리 사회의 비합리적인 조직 문화도 사람들이 일찍 은퇴하려는 이유 가운데 하나입니다.

– 출처: SBS 8시 뉴스 < "40살에 은퇴합니다". '파이어족' 꿈꾸는 사람들> –

이OO씨 OO대기업

50세 명예퇴직

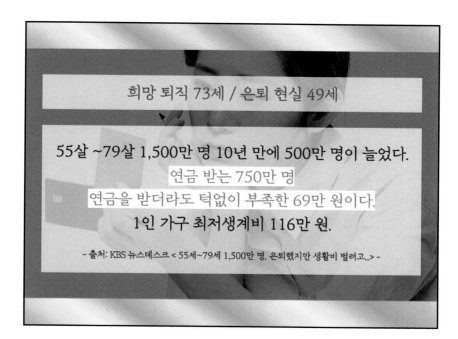

희망 퇴직 73세 / 은퇴 현실 49세

55살 ~79살 1,500만 명 10년 만에 500만 명이 늘었다.
연금 받는 750만 명
연금을 받더라도 턱없이 부족한 69만 원이다.
1인 가구 최저생계비 116만 원.

- 출처: KBS 뉴스데스크 < 55세~79세 1,500만 명, 은퇴했지만 생활비 벌려고...> -

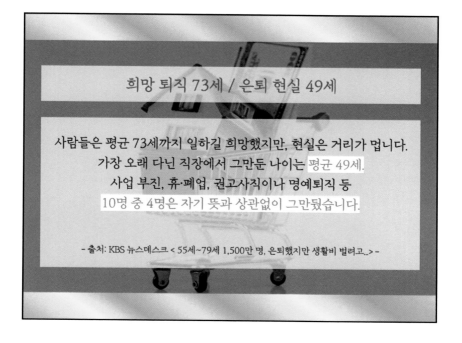

희망 퇴직 73세 / 은퇴 현실 49세

사람들은 평균 73세까지 일하길 희망했지만, 현실은 거리가 멉니다.
가장 오래 다닌 직장에서 그만둔 나이는 평균 49세.
사업 부진, 휴·폐업, 권고사직이나 명예퇴직 등
10명 중 4명은 자기 뜻과 상관없이 그만뒀습니다.

- 출처: KBS 뉴스데스크 < 55세~79세 1,500만 명, 은퇴했지만 생활비 벌려고...> -

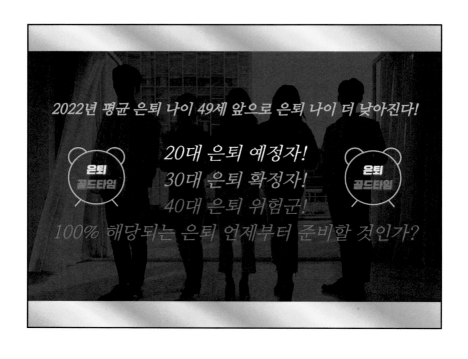

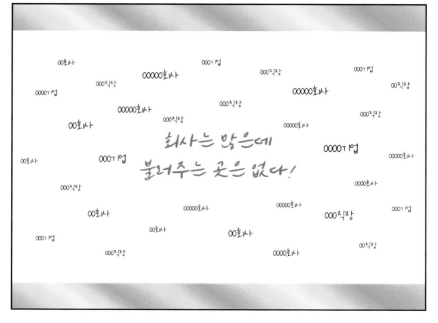

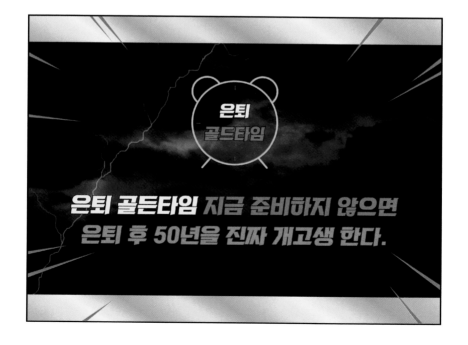

○○회사 ○○○기업
○○○○○회사 ○○○직장 ○○○기업
○○○기업 ○○○직장 ○○○○○회사 ○○직장
○○○○○회사 ○○○직장 ○○○직장
○○회사 ○○○직장 ○○○○○회사

10년, 20년 경력... 인정해 주는 곳은 없고
어떻게 하면 활용, 연결할 수 있을까?
○○회사 ○○○기업 ○○○○○기업 ○○○○○회사

○○○직장 ○○○○회사

○○회사 ○○○○○회사 ○○○○○회사 ○○○기업
○○회사 ○○회사 ○○○직장
○○○기업 ○○○직장 ○○○○회사 ○○○직장

은퇴
골드타임

은퇴 골든타임 지금 준비하지 않으면
은퇴 후 50년을 진짜 개고생 한다.

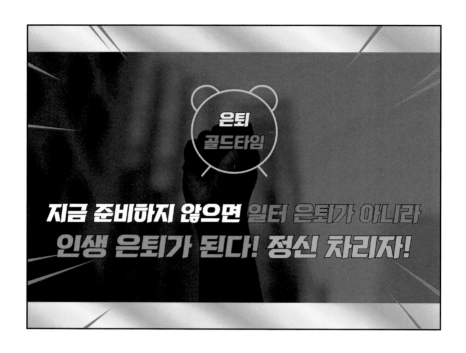

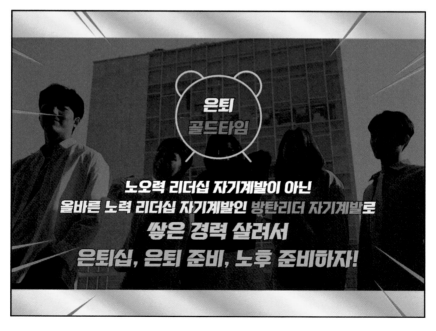

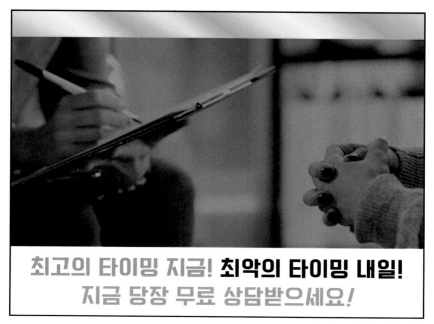

평균 희망 은퇴 73세, 현실 은퇴 나이 49세! 100세 시대 언제까지 몸(노동)으로만 일해서 돈을 벌 것인가?

세상, 현실 기준에서 스펙, 돈, 인맥, 자산 등이 없어서 100세까지 노동을 해야 되고 몸까지 아프면 더 답이 없는 상황! 젊을 때는 100가지 중 99가지를 할 수 있지만 나이 들면 100가지 중 99가지를 할 수 없다. 3고 시대, AI 시대, 챗 GPT 시대에 자신의 직업이 사라 질 수 있는 상황에서 어떻게 준비, 대비할 것인가?

 방탄JOB기술력 선택이 아닌 필수!

★ ★ ★ ★ ★
ONLY ONE
방탄JOB 기술력

한 분야 전문성으로 힘든 시대다. 이제는 포트폴리오 커리어 시대다. (포트폴리오 커리어: 한 분야 전문성 외 다수에 전문성이 있는 사람) 자신 경력을 왜 썩히고 있는가! 자신 경력을 활용해서 6가지 수입을 발생시킬 수 있는 방탄JOB기술력! 언제까지 몸(노동)으로 일할 것인가? 자신 경력이 일하게 하자! 자신 콘텐츠가 일하게 하자! 시스템이 일하게 하자!

★ ★ ★ ★ ★

직장은 자신 인생을 책임져 주지 않지만
방탄JOB기술력은 자신 인생을 책임져 준다.
직장은 자신을 배신하지만
방탄JOB기술력은 자신을 배신하지 않는다.

★ ★ ★ ★ ★
ONLY ONE

방탄JOB
기술력

★ 직장은 은퇴 당하는 1순위이고 직업은 은퇴 준비에 1순위다?

다음은 4차 산업 시대, 5G 시대, 앞으로 10G 시대, 챗 GPT 시대에 "직장인으로서 어떻게 은퇴 준비를 해야 하는가? 일반 사람으로서 어떻게 은퇴 준비를 해야 하는가? 리더로서 어떻게 은퇴 준비를 해야 하는가?"라는 질문에 깨달음을 주는 스토리텔링이다.

당신에겐 '직장'은 있어도 '직업'은 없을 수도 있습니다.

여러분 한번 생각해 보세요. 나는 앞으로 우리 사회에서 정규직의 분포가 늘어날 거라고 생각하시는 분이 있나요. 많은 직장인들은 계속해서 연봉은 오릅니다. 하지만 몸값은 상대적으로 떨어져요. 왜 떨어지느냐? 직업이 없기 때문에 그렇습니다. 직장은 있어요. 그런데 기술이 없기 때문에 자기의 몸값은 떨어지는 겁니다. (시키는 일만 하다가 빈손으로 퇴사하는 직장인들) 그렇다고 40대 후반에서 50대 초반에 퇴직해서 돈 안 벌고 살 수가 있나요? 국민연금만 갖고 살 수 있나요? 그렇지는 않거든요.

절대 직장을 나오라는 말이 아닙니다. 직장에 있는 동안 자기가 돈과 교환할 수 있는 기술을 만들어 갖고 나와 야 됩니다.

Q: 우리가 '직장인'이 아닌 '직업인'이 되어야 하는 이 유?

한 가지 질문을 드리면

첫 번째, 통장을 개설한지 오래된 통장.

두 번째, 통장의 개수가 많음.

세 번째, 현금이 제일 많음.

어떤게 제일 좋으세요? 제가 흔히 드는 비유가 있는데 직장이라는 것을 통장에 비유를 하고요. 직업은 현금에 다가 비유를 합니다.

직장에 소속돼 있는 상태를 '내가 직업이 있다.'라고 생 각하는 경우가 많은 것 같아요. 사실은 그게 아니라 직 장이라는 것은 그냥 남이 만들어 놓은 조직인 것이고 직업이라는 것은 내가 직장이나 조직에 소속되어 있든 소속되어 있지 않든 간에 내가 돈과 교환할 수 있는 기 술을 갖고 있는 상태를 의미합니다. 그 두 가지가 굉장 히 다르다는 것을 생각을 해야 될 것 같아요.

제가 사실 직장과 직업의 차이에 대해서 생각하게 된 계기가 제가 2007년에 퇴직을 했거든요. 퇴직을 하고서 이제 많은 사람들이 그렇듯이 해외여행을 갔는데 비행기에서 입국 신고서를 쓰잖아요. 근데 거기다 직업을 쓰라고 되는데 갑자기 제가 약간 멍해지는 거예요. 왜냐면 회사를 나왔으니까 내가 무직이라고 써야 되나? 근데 내가 조직을 떠났다고 해서 내가 직업이 없다. 라고 쓰는 게 이게 말이 되나? 하면서 그 비행기에서부터 직장과 직업이라는 것이 어떻게 다른지 생각하기 시작한 거죠.

제가 보기에 안타까운 것은 직장 경력은 굉장히 오래되어 있는데 직장을 나오는 순간 경제생활을 할 수 없는 거예요. 대부분이 기술이 없어서 그렇거든요. 그게 뭐냐면 직장은 다닌지는 오래됐고 여러 군데를 다녔는데 통장은 많은데 사실은 내가 그 현금을 벌 수 있는 기술은 없는 상태인 거죠.

지금 이제 저희가 3년 동안 코로나를 겪고 있는데 재택근무가 확대되고 있지 않습니까? 제 고객의 80% 이상도 재택이나 하이브리드로 갑니다. 그러면 재택근무에서 그다음 단계로 우리는 생각을 해 봐야 되는게 재택근무는 직원이 8시간 동안 일을 하는지 안 하는지를 알 수가 없습니다. 그러면 기업의 입장에서는 고용계약서에 군이 8시간 일하는 조건으로 연봉을 책정해야 할 이유가 사라지는 겁니다. 그다음 시대흐름이 뭘까를 생각을 해보면 앞으로 8시간을 일하는 게 중요한 게 아니라 이 사람이 회사의 어떤 프로젝트를 위해서 4시간을 일하든 10시간을 일하든 간에 결과물을 만들어 줄 수 있는 기술을 갖고 있느냐 없느냐? 차이가 있는 거죠. 그래서 고용계약의 형태가 앞으로는 훨씬 더 자유롭게 바뀌게 될 겁니다. 이제 이렇게 될 날이 멀지 않았습니다. 절대 직장을 나오라는 말이 아닙니다. 직장에 있는 동안 자기가 돈과 교환할 수 있는 기술을 만들어 갖고 나와야 됩니다.

Q: 그냥 '직장인'으로 살면서 잘 버티면 안 되나요?

직장인으로 오래 살 수 있으면 괜찮죠. 근데 아까도 말씀드렸다시피 절대 퇴직하라는 얘기를 하는 게 아닙니다. 퇴직이라는 것은 굉장히 리스크가 큰 거거든요. 근데 오래 남는 게 유리할 텐데 직장에 있다가 언젠간 나올 거잖아요. 만약에 여러분들께서 한번 생각해 보십시오. 여러분들이 만약에 대기업에 오너라고 생각해 보세요. 혹은 월급 사장이라고 생각해 보세요. 아니면 자영업을 하신다고 생각했을 때 "앞으로 2025년까지 제 고용을 보장해 주실 수 있어요?" 제가 여러 조직에 가서 질문했을 때 그 답에 대해서 "3년간 내가 고용 보장 해줄게" 이런 사람 사실 없습니다. 그러고는 싶죠. 여러분들 중에 한번 생각해 보세요. 나는 앞으로 우리 사회에서 정규직의 분포가 늘어날 거라고 생각하시는 분이 있나요. 없죠. 사실은 정규직은 계속 줄어들 겁니다.

그래서 직장에서 오래 버티기는 굉장히 힘들어지죠. 지금 50대 이상이 30년 이상 직장 생활을 했을 겁니다. 2030 세대는 직장 생활을 30년 하기 힘듭니다.
자기 기술 제 언어로 표현하면 직업인데 직업을 갖고 있을 때 직장에서 버틸 수 있는 가능성이 더 높아지고요. 기술이 있어야 직장에서도 더 그 사람을 붙잡으려고 할 거 아니에요.

PD: 기술이라는 게 이공계만 말하는 게 아니죠?
아니죠. 그게 프로듀서가 될 수도 있는 거고 저처럼 코칭이 될 수도 있는 거고 빵을 만드는 게 될 수도 있고 뭐가 될 수 있는 거죠. 그래서 직장에서 오래 버티는데도 그 기술이 있는 것이 유리하고요. 그 다음에 2011년과 2020년에 통계청에서 발표한 것을 놓고 보면 주된 직장에서 주된 직장의 정의는 자기가 가장 오래 일한 직장입니다. 그 직장에서 나오는 나이가 10년 사이에 53세에서 49세로 줄었습니다. 그러면 앞으로 10년 뒤에는 어떻게 될까요. 40대 중반으로 충분히 내려올 수 있겠죠. 정년퇴직은 법적으로 당연히 보장되어 있죠. 근데 정년퇴직으로 직장을 그만두는 사람이 얼마나 될까요?

2011년에 11%였고요. 2020년에는 7.5%입니다. 얼마 안 되죠. 제가 직장생활이나 사업을 20년 넘게 했는데 제 주변에서 제가 아는 사람들 중에 적지 않은 사람들 중에 61세에 정년퇴직을 정말 명예롭게 한 사람을 20년이 넘는 동안 딱 두 번 봤습니다. 한 사람이 사장의 운전기사분이었고요. 또 한 분이 오래 있었는데 이전 직장에 선배인데 이 분은 임원으로 가는 길을 택하지 않고 그냥 만년 부장으로 남아서 61세까지 일하고 파티하고 끝냈어요. 그 직장이 정말 좋은 직장이기 때문에 가능했던 거죠. 딱 두 사람 빼고는 제가 그 어떤 사람도 제가 아는 사람 중에 정년퇴직을 하신 분을 못 봤습니다. 반면에 명퇴는 100배 이상 많이 봤어요. 명퇴라는 말이 사실 이게 아주 말장난이거든요. 여러분들 명퇴를 명예롭게 하시는 분을 봤습니까? 사실은 완전히 밀어내는 거거든요.

직장인들이 보통 연봉을 자기 몸값이라고 생각하잖아요. 심각한 오해입니다. 만약에 제 몸값이 제 연봉이라면 제가 조직을 떠나도 제 몸에 붙어 있는 가치이기 때문에 제가 연봉만큼을 벌 수 있어야 됩니다. 어디에서든 그런데 소속이 끝나는 순간 자기의 수입이 확 줄어요. 그러면 몸값이 아닌 거죠. 그러니까 제가 봤을 때 많은 직장인들은 계속해서 연봉은 오릅니다. 하지만 몸값은 상대적으로 떨어져요. 왜 떨어지느냐? 직업이 없기 때문에 그렇습니다. 직장은 있어요. 그런데 그 기술이 없기 때문에 자기 몸값은 떨어지는 겁니다.

4050세대가 회사에서 나올 시점이면 관리직인 경우가 많은데 사실 직원 관리가 기술이 되는 케이스는 굉장히 드물거든요. 근데 이제는 40대 후반에서 50대 초반에 퇴직해서 돈 안 벌고 살 수가 있나요? 국민연금만 갖고 살 수 있나요? 그렇지는 않거든요. 그리고 사람이 일을 한다라는 건 이런 의미라고 생각하거든요. 내가 누군가에게 도움을 주고 가치를 줄 수 있는 자기 존재감을 느끼는 것이기 때문에 일을 안 하고 산다는 것은 경제적인 것뿐만이 아니라 자기의 어떤 존재가치를 입증하는데 있어서도 힘든 점이 올 수가 있죠.

그동안 우리가 아직도 우리 부모 세대의 패러다임에서 직장 생활을 하고 있는 경우들이 많이 있는 것 같아요.

직장 내에서 그냥 시키는 것만 그냥 뭐 팀원들 관리해라. 근데 그 직장이 과거에는 우리를 60대까지 책임져 줬다면 지금은 세상이 바뀌어서 책임져 주지 않잖아요. 냉정하게 얘기하면 직장은 우리를 보호해 주지 않습니다. 하지만 직업은 우리를 보호해 줄 수가 있는 거죠.

Q: '직업인'이 되고는 싶은데 뭘 잘하는지 모르겠어요.

저는 제 고객분들도 그렇고 아니면 독자분들이 그럼 나에게 제일 중요한 질문이 뭐냐? 라고 했을 때 제가 항상 강조하는 게 뭐냐면 what do you want? 입니다. "직업인이 되는 첫걸음은 내가 뭘 하고 싶은지 알아야 한다." 뭘 원하느냐? 어떤 일을 원하느냐? 지금 4050대 분들이 다 그렇겠지만 위에서 시키는 대로 직장에서 일을 해왔거든요. 상사가 뭘 원하는지 기가 막히게 알아요. 눈치가 진짜 빨라요. 내 고객이 뭘 원하는지는 굉장히 잘 알아요. 근데 내가 뭘 원하지? 라는 질문에는 답변을 못하는 거죠. 제가 보기에 그 답을 못하는 이유는 그냥 고민만 해서 그렇습니다. 그리고 술자리에 안주로만 그것을 삼기 때문에 그렇습니다. "나 도대체 퇴직하고 뭘 해야 되지?"라고 그냥 술자리에서 안주로만 삼는 거죠.

아마존의 창업자인 제프 베이조스가 그런 얘기를 했었거든요. "네가 열정을 찾는 게 아니라 열정이 너를 찾는 거다." 사람들이 이것을 잘못 오해해서 아, 그럼 내가 가만히 있으면 열정이 찾아올 때까지는 기다리면 되겠구나. 그게 아닙니다. 열정이 나를 발견하기 쉽게 만들어 줘야 되거든요. 그러면 내가 막 돌아다녀야 돼요. 내가 여기저기 자꾸 찔러봐야 되는 거예요. 그러니까 자꾸 이런저런 실험을 해봐야 되는 거죠. 한 가지 예를 들어 볼게요.

40대 직장인이 있습니다. 방송국하고 신문사에서 웹사이트 관리를 했어요. 근데 이분이 옛날부터 콘텐츠에 관심이 있어서 요즘 동네 서점이 인기라고 하니까 동네 서점을 해본 거예요. 1년 반 만에 접었어요. 망한 거죠. 돈을 잃지는 않았는데 돈을 그렇다고 많이 번 것도 아니고 근데 서점을 하면서 이제 한 가지를 알게 된 거예요. 뭐냐면 동네 서점이기 때문에 그 매대가 작기 때문에 자기가 굉장히 세심하게 큐레이션을 해야 되잖아요. 큐레이션을 했을 때 누군가가 와서 지갑을 열고 그 책을 사가는 경험에서 굉장히 짜릿함을 느낀 거예요. "아, 내가 그런 걸 좋아하는 것을 깨닫게 된 거예요." 이 분이 롱 블랙이라는 지시콘텐츠 업체 김종원 공동 대표입니다.

그러면 여러분들이 창업을 하라는 얘기냐? 그것도 아닙니다. 여러분 자리에서 할 수 있는 실험들이 있을 거예요. 예를 들면 회사 내에 다른 부서로 이동을 해본다든지 아니면 회사에서 안 하던 프로젝트에 내가 자원을 해본다든지 아니면 퇴근 후에 사이드 프로젝트를 해본다든지 세바시 같은 곳에 와서 새로운 교육을 들어본다

든지 자꾸 자기가 발을 담고 봐야 되는 거죠. (퇴사, 창업이 아니라 내 자리에서 할 수 있는 실험부터)

예를 들면 제가 지금 현재 벌어들이는 수입에 대다수가 임원 코칭입니다. 그럼 제가 직장생활을 코치로 했었느냐? 아닙니다. 저는 컨설턴트였어요. 근데 싱가포르에 출장을 갔다가 돌아오는 비행기를 싱가폴 공항에서 기다리는데 시간이 남아서 미국인 선배 상사를 만났죠. 선배가 '맥주나 마시자'라고 해서 공항에서 맥주를 마시다가 이런저런 얘기를 하다가 갑자기 "너 코칭하고 컨설팅이 뭐가 다른지 알아?" 저는 몰랐어요. "똑같은 거 아니야?" 그랬더니 아니라는 거예요. 컨설팅은 답을 주려고 하는 거고 코칭은 여러분 지금 세바시에서도 그렇게 하지만 질문을 던져서 고객이 스스로 답을 찾도록 만들어 주는 게 코칭이라는 거예요. PD: 아, 세바시에 <인생질문>이 바로 코칭이네요? 그렇죠! 코칭 그룹이죠! 그게 저한테 약간 호기심이 생기더라고요. 그래서 회사에서 시키지도 않았는데 인터넷 검색을 하고 책을 사서 보고 교육도 들어보고 다 자비로 한 거죠. 그게 저한테 실험인 거예요. 그러다가 제가 있던 회사에다가 컨설팅 회사였는데 코칭 서비스를 한번 제가 작게 개설을 해 본 거예요. 이게 팔리나 안 팔리나 두 가지를 발견했어요.

첫 번째 잘 팔리더라. 두 번째 고객도 만족하고 나도 더 만족하더라. 그래서 코칭을 해야 되는데 코칭에 한참 관심을 가질 때 제가 사장이 된 거예요. 사장이 되니까 코칭을 많이 할 수가 없는 거예요. 관리를 해야 되니까 사장을 3년 하고 나서 제가 내린 결론은 뭐였냐면 사장 역할을 잘할 수는 있겠는데 내가 이걸 계속하고 싶지도 않다는 거였습니다. 그래서 그러면 내가 가진 시간에 대부분을 코칭에 쏟을 수 있는 방법이 뭘까? 1인 기업을 창업한 겁니다. 제가 코칭을 한 것도 결국은 그냥 고민만 했다면 절대로 되질 않는데 자꾸 실험을 해봐야 되는 거죠.

그게 절대로 회사를 나와서 창업을 하라고 하는 게 아닙니다. 회사에 있을 때 작은 실험들을 해보시는 게 굉장히 중요합니다. 직장 사용 설명서라는 걸 제가 만약에 한 줄로 만든다면 직장 다니는 동안 다른 말로 하면 매달 25일 날 월급이 꽂히는 동안 비교적 안정되잖아요. 그동안에 내가 기술을 만들어서 나와야 된다는 겁니다. 60세에서 나오든 50세에 나오든 내가 원해서 나오든 내가 밀려서 나오든 나오기 전에 만들어야 되는 것이죠.

직장도 여러분들을 이용하잖아요. 어떻게 이용하나요. 30~40대는 쪽 빼먹고 40대 후반에서 이제 밀어낼 생각하죠. 마찬가지로 우리도 직장을 이용할 생각을 해야 되는 겁니다.

Q: 현실적으로 직장 다니면서 직업을 찾기가 어렵다면요?

여러분들께서 직장에 할 수 있는 일 중에서 찾아내는 방법이 사실은 제일 좋구요. 아닌 경우도 있죠. 아무리 찾아도 직장 일과는 상관이 없다면 직장을 바라보는 시선이 바뀌어야 되는 거예요. 만약에 나는 직장에서 하는 일과는 상관없는 일을 직업으로 만들고 싶다. 그러면 직장을 선택하는 기준이 돈보다도 칼퇴를 할 수 있느냐 없느냐를 기준으로 해야 되는 거죠. 기술을 쌓을 수 있는 시간을 확보할 수 있잖아요.

김유미 작가라는 분이 직장은 다니는데 이분은 직장에서 일하는 걸로 직업을 만들고 싶지 않아요. 7시부터 화실에 들어가서 3시간 동안 그림을 그릴 수 있느냐 이게 중요한 거예요. 이분의 전시를 가서 봤는데 그림이 몇백만 원에 팔리고 있어요. 그래서 어떤 직업을 만들고 싶으냐에 따라서 직장을 구하는 기준이 달라야 되죠.

직장에서 하는 일과 상관없이 직업을 만들고 싶은데 야근하는 직장을 고른다. 그건 전략이 잘못된 거죠.

지금 한번 여러분들이 쓰는 캘린더를 한번 열어 보세요. 그리고 지난 한 달 동안 자신과의 약속 시간이 잡혀 있는지를 한번 보세요. 나와의 약속! 다른 사람이 아니라 나와의 약속! 많은 사람들이 없다고 얘기하거든요. 캘린더에다가 남의 약속만 적어놔요. "너 수요일 날 저녁에 시간 있어?" "응! 시간 비었어." 그리고서는 내가 꼭 나가지 않아도 되는 시간이고 내가 직업을 만들기 위해서 투자할 수 있는 시간을 그냥 남들한테 줘요! 그러니까 돈은 함부로 남한테 안 주는데 시간은 너무 남한테 그냥 주는 거죠.

제가 한 가지 비하인드 스토리를 말씀드릴게요. 세바시에서 〈인생질문〉에서 저한테 오늘 출연해달라고 하는 것을 1월에 연락이 왔었습니다. 근데 왜 8월에 잡혔느냐? 제가 1월부터 상반기에 목요일을 전부 다 제시간으로 잡아 놨어요. 나와의 약속으로 그 시간은 제가 지킨 거죠. 사람들은 자기와의 시간은 항상 남과의 시간에다가 줄 수 있다고 생각을 해요. 자기만의 시간이 있어야 됩니다. 주식도 미리 투자를 해놔야 되잖아요. 그런 것처럼 자기 직업을 만드는 것도 자기 시간 투자를 해놔야 되는 거죠.

제가 설득에 심리학이라는 워크샵을 치알디니에게 직접

배워서 갖고 와서 15년 동안 하고 있거든요. 저한테는 수입 원이기도 하죠. 이걸 어떻게 배운 거냐면요. 직장 다니는 동안 치알디니 워크샵에 저를 보내줄 리가 없잖아요? 그 비싼 데다가. 제가 제 휴가를 내서 제 돈으로 비행기 타고 가서 그 워크샵을 배워온 게 첫 계기가 된 겁니다.

자기 돈과 자기 시간을 써서 여러분들께서 직업을 찾아보고 해야 되는 거죠. 이걸 하는 게 나는 힘들고 귀찮다? 그럼, 아마도 그건 여러분들의 직업이 아닐 가능성이 높습니다.

제가 책을 쓰는 과정에서 그리고 책을 쓰고 나서 주로 30대에서 40대 초반에 이제 직장을 나와서 창업한 분들을 만나서 이렇게 인터뷰를 해볼 기회가 있었습니다. 카페를 하는 분도 있었고 식당을 하는 분도 있고 빵을 굽는 사람도 있었고 여러 사람이 있었는데 제가 물어봤어요. "직장에 있을 때보다 돈을 많이 벌어요? 아니요! 직장 있을 때보다 쉬는 시간이 더 많아요? 휴가 더 많이 써요? 아니요! 그러면 직장 있을 때보다 더 해피해요? 더 행복해요!" 돈을 덜 벌고 일은 더 많이 하고 더 쉬지 못하는데 더 해피하다. 이게 저한테는 약간 퍼즐 같았어요.

워라벨이라는 것을 보통 직장에서 보내는 시간과 자기 개인 시간에 균형으로 생각하잖아요. 워라벨은 내가 직장에서 하는 일이 나 좋은 일이 아니라 남 좋은 일이라고 생각할 때 그 중요도가 굉장히 올라갑니다. 그런데 제가 좀 전에 말씀드렸던 직장에서 나와서 자기 직업을 갖고 한 사람들은 자기가 일하는 시간이 많고 쉬는 시간이 적은데도 너무 재미있는 거예요. 왜냐면 그 시간 하나하나 하나가 다 나를 위한 일이라고 생각하는 거예요. 그래서 제가 워라벨에 대한 해석을 바꿨어요.

"워라벨은 남 좋은 일과 나 좋은 일에 균형이다."

제가 그런 얘기를 하거든요. 워라벨을 정말로 확보하려면 한동안은 좀 워라벨이 안 좋다라고 느끼는 순간들이 있다. 그렇게 해서 자기의 직업을 만들어야 된다고.
어떻게 보면 자기가 놀거나 쉴 수 있는 시간을 투자해야 40대~50대 가서 훨씬 더 여유 시간이 많아질 수가 있는 거죠. 그런 점에서도 조금이라도 빨리 자기 직업을 만드는 데 시간을 쏟는 게 굉장히 중요하다고 생각합니다. 제가 오늘 여기에 오신분들께 일이 갖는 세 가지 의미를 말씀을 드릴 테니까 생각해 보시면 100에서 몇 프로씩을 나한테 의미가 있는지를 한번 생각해 보시면 좋겠어요.

첫 번째는 머니 메이커입니다.

돈을 만들어 내는 것으로써의 일의 의미. 아마 대다수 사람들이 그럴 겁니다. 저한테도 그랬고 절반 이상이 될 겁니다.

두 번째가 success 메이커입니다.

내가 내 분야에서 성공 경험을 만들어서 그게 승진이든 어떤 프로젝트에 성공이든 성장을 만들어 내는 거예요.

세 번째가 미닝 메이커예요.

의미를 만들어 내는 겁니다. 내가 이 일을 함으로써 딴 건 모르겠지만 이 일을 하려고 내가 이 세상에 나왔나 봐 나의 존재감을 느낄 수 있는 거죠.

세 가지의 배분이 다 다를 텐데 제가 여러분들께 이제 직업과 관련 지어서 말씀드리고 싶은 것은 미닝 메이커에 대해서 한번 생각을 해보시면 좋을 것 같아요. 왜냐면 이게 돈만이 아니라 의미를 만들어 내는 일을 할 때 사실은 사람들이 더 기쁘게 이걸 지속할 수가 있거든요. 그리고 더 이걸 성장시키려고 하죠. 왜 나이 들면 그런 생각 하잖아요. 나 잘 살고 있는 걸까? 첫 번째는 내가 삶이나 일에서 원하는 게 뭘까? 두 번째는 내가 그 방향으로 가고 있으면 잘 살고 있는 거고 내가 뭘 원하는

지도 모르겠고 당연히 그러면 내가 그 방향으로 가고 있는지도 모르겠죠. 그러면 잘 살고 있는 게 아니겠죠. 성공한 직업이라는 것도 제가 머니 메이커, 석세스 메이커, 미닝 메이커 중에서 내가 원하는 비율이 어떻게 되는지를 파악하고 그 방향으로 가면 되는 거죠. 여러분들께서 세바시 <인생질문>을 통해서 직장인보다는 직업인으로서 내가 뭘 원하는지를 조금 새롭게 발견하는 그런 계기가 됐으면 하고 감사한 마음 전합니다.

<세바시 인생질문> - 김호 더랩에이치 대표 -
당신에겐 '직장'은 있어도 '직업'은 없을 수도 있습니다.

직장은 배신하고 직업은 배신하지 않는다. 그래서 직업을 만들기 위한 학습, 연습, 훈련하는 방법을 전문가에게 기술력을 전수 받아야 한다. 직장은 노오력이고 직업은 올바른 노력이다. 그래서 올바른 노력을 하기 위해 학습, 연습, 훈련하는 방법을 전문가에게 전수 받아야 한다.

20,000명 심리 상담, 코칭 하면서 늘 말하는 것이 있다. 운전을 배울 때 카레이서(성공한 사람, 전문가, 사람들이 인정한 사람들)에게 운전을 잘하는 방법, 공식을 배우더라도 운전 하는 사람 태도가 안 좋으면 운전 방법, 공식

은 쓰레기 되어 난폭운전, 보복 운전을 하는 것이다. 운전 하는 습관을 보면 그 사람 인성이 보인다. 벤츠를 타고 다니는 사람이 운전 태도가 안 좋다면 벤츠는 마티즈보다 못한 차가 되는 것이고 마티즈를 타고 다니는 사람이 운전 태도가 좋다면 벤츠보다 좋은 차가 되는 것이다. 안전으로 따져봤을 때 벤츠가 마티즈보다 월등하게 우수하다. 하지만 세상에서 가장 안전한 차는 대통령의 방탄차가 아니라 신호 준수, 안전거리 확보, 예측 운전, 방어 운전, 양보 운전하는 당신의 운전 태도다.

세상 모든 방법, 공식 전에 선행되어야 할 것은 태도를 만들어 내는 자존감 본질, 멘탈 본질, 습관 본질, 행복 본질이다.

"직장인으로서 어떻게 은퇴 준비를 해야 하는가? 일반 사람으로서 어떻게 은퇴 준비를 해야 하는가? 리더로서 어떻게 은퇴 준비를 해야 하는가?" 라는 질문에 정답은 방법, 공식보다 먼저 은퇴에 대한 태도인 자존감 본질, 멘탈 본질, 습관 본질, 행복 본질을 학습, 연습, 훈련을 먼저 해야 한다.

직장과 직업의 의미와 직장인으로서 은퇴 준비, 일반인으로서 은퇴 준비, 리더로서 은퇴 준비를 어떻게 해야 하는지 어느정도 느낌을 받았을 것이다. 느낀 만큼 바로 행동하지 않으면 다 쓰레기 된다는 것을 명심하자.

지금 당신이 배움, 감동, 울림 받은 것을 쓰레기가 되는 것을 막아 주겠다. 지금 바로 상담 받지 않으면 배움, 감동, 울림 받은 것은 다 쓰레기가 된다.

은퇴 준비를 시작하고 싶다면 지금 당장 상담 받아라. 10분 무료 상담 / 1시간 유료 상담.
최보규 리더은퇴 코칭전문가 010-6578-8295

은퇴 준비 가장 좋은 방법, 공식?

세상에서 가장 안전한 차는 대통령 방탄차, 벤츠가 아니라 신호 준수, 안전거리 확보, 예측 운전, 방어 운전, 양보 운전하는 당신의 운전 태도다!

대통령 방탄차, 벤츠
(은퇴 준비 방법, 공식)

운전 태도(은퇴 준비 태도)

은퇴 자존감, 은퇴 멘탈
은퇴 습관, 은퇴 행복
은퇴 자기계발, 은퇴 코칭

263

★ 은퇴 당하면 인생이 힘들어지고 은퇴를 준비 하면 인생이 힘이 난다!

20,000명 심리 상담, 코칭 하면서 알게 된 일에 대한 사람들의 평균 심리가 있다. 지금 하고 있는 일이 하고 싶었던 일, 꿈이였던 사람이 1%도 되지 않는다. 먹고 살기 위해서, 하고 싶은일은 아니지만, 꿈이였던 일은 아니지만 마지못해서 하는 사람들이 99%라는 것이다. 앞에서도 언급을 했듯이 49세 나이에 은퇴하는 현실인 상황에서 은퇴를 당하지 않기 위해 전전긍긍하는 사람들이 99%라는 것이다. 너무 긍정적으로 말을 했는가? 다시 정정하겠다.

극단적으로 말을 하겠다. 전전긍긍하는 사람은 9%이고 90%가 미래에 대한 목표, 방향 없이 세상, 현실에 은퇴를 당하고 대충 산다. 한마디로 90%는 은퇴를 당한다는 것이다. 오해하지 말고 들어라. 90% 사람들이 인생을 잘 못 살고 있다고 말하는 게 아니다. 누구나 인생을 의미 있게, 행복하게 은퇴 당하지 않고 살 수 있다. 단지 인생을 의미 있게, 행복하게, 은퇴 당하지 않는 방법을 모를 뿐이다. 방법을 몰라서 인생을 사는 게 안타까워서 말을 하는 것이다.

안타까운 사람의 심리가 언제 드는지 아는가? 안타까운 사람의 심리가 안쓰러워서 마음이 짠해서 드는 것도 있지만 필자가 말하는 안타까운 심리는 이럴 때이다. "이렇게 하면 인생을 의미 있게 살 수 있는데, 이렇게 하면 자신 분야를 행복하게 일 할 수 있는데, 이렇게 하면 은퇴 준비를 잘 해서 은퇴 당하지 않는데" 라는 마음이 들 때이다.

필자의 코칭을 받고 자신 인생과 자신 분야를 의미 있게 행복하게 사는 방법, 은퇴 준비로 은퇴 당하지 않는 방법을 배워서 인생터닝포인트를 하는 리더, 사람들이 있었기에 필자를 만나지 못해서 나다운 인생의 길을 헤매고 있는 사람들을 볼 때마다 안타까운 마음이 들기 때문에 필자 기준에서 안타까운 심리를 말을 하는 것이다.

대한민국 직업이 12,000가지가 있다. 평균적으로 안정적인 직장에서 강제 은퇴 없이 정년에 맞춰 일을 하고 싶어 한다. 12,000가지 직업 중에 안정적으로 강제 은퇴 없이 정년까지 일할 수 있는 일이 몇 개나 될까? 로또(800만 분의 1)확률 만큼이나 정년까지 할 수 있는 사람은 극소수 일 것이다. 앞으로 시대는 더하면 더했지 덜 하지 않는다는 것을 누구나 알 것이다.

20,000명 심리 상담, 코칭 하면서 알게 된 것은 대부분 사람들이 은퇴 준비가 돈만 많이 벌어 놓으면 된다는 착각 속에 살고 있다. 은퇴의 본질을 모르고 살고 있다는 것이다. 본질을 모르니 은퇴 준비가 제대로 되겠는가? 은퇴 준비가 안되는 게 정상이다.

은퇴 준비에서 돈이 필요 없다고 말하는 것이 아니라 중요도를 퍼센트로 따지만 100%중에 30%밖에 되지 않는다. 30%라는 말을 들으면 이런 의문점이 들것이다. "헉! 돈의 중요도가 50%이상 아닌가요? 일단 돈이 많으면 은퇴를 당하더라도 할 수 있는 선택지가 많기에 돈이 가장 중요한거 아닌가요?" 라는 생각은 틀린말은 아니지만 틀렸다.

20,000명 심리 상담, 코칭 하면서 알게 된 것은 은퇴 준비, 노후 준비에 필요한 7가지에서 돈의 중요도는 30%이고 6가지가 70%의 비중을 차지한다. 7가지가 균형을 이룰 때 은퇴 준비, 노후 준비가 되는 것이다.

은퇴 준비, 노후 준비 7가지가 무엇일까?

★ 리더 은퇴 준비, 리더 노후 준비 7개 기둥

리더 은퇴 준비가 곧 리더 노후 준비 이다. 리더 은퇴 준비와 리더 노후 준비는 가족이여서 뗄 수가 없다. 은퇴 준비가 노후 준비이고 노후 준비가 은퇴 준비라는 것이다.

리더 은퇴 준비, 리더 노후 준비를 집, 건물로 비유를 하겠다. 집, 건물을 짓는데 가장 중요한 것이 기둥이다. 다음은 세상에서 가장 중요한 것들은 7가지 기둥으로 이루어졌다. 그 기둥을 깨닫게 해주는 스토리텔링이다.

세상의 모든 것은 기둥으로 이루어져 있습니다. 어떤 기둥은 무너지면 모든 것이 무너지지만 어떤 기둥은 천천히 무너집니다. 당신의 방탄멘탈 기둥은 튼튼하십니까?

- 자연 7개 기둥: 태양, 물, 땅, 바람, 동물, 태풍, 식물
- 자동차 7개 기둥: 운전습관, 엔진, 바퀴, 핸들, 브레이크, 엑셀, 사이드미러
- 뇌 호르몬 7개 기둥: 생활습관, 엔도르핀(쾌감 자극), 세로토닌(행복), 도파민(의욕, 열정, 동기), 아드레날린(신체능력), 멜라토닌(수면), 옥시토신(사랑)
- 몸 7개 기둥: 자기관리 습관, 뇌, 눈, 머리, 장기, 팔, 다리

- 사랑 7개 기둥: 사랑 습관, 맞춰가려는 행동, 존중, 인정, 배려, 자존심 내려놓기, 이기는 것보다 지려는 마음
- 인간관계 7개 기둥: 인간관계 습관, 존중, 이해, 맞춰가려는 행동, 말투, 만만하게 보이지 말자, 인연 끊을 사람 빨리 끊자.
- 일 7개 기둥: 일하는 습관, 하고 싶은 일은 아니지만 하고 싶은 일을 찾기 위한 디딤돌이라는 마음, 전문성, 프로정신, 있으나마나 한 존재가 아닌 대체 불가능한 존재, 제2의 가족, 월급
- 행복의 7개 기둥: 자존감, 자신감, 자기관리, 자기계발, 멘탈, 습관, 긍정
- 방탄멘탈 7개 기둥: 자자자자멘습긍(자존감, 자신감, 자기관리, 자기계발, 멘탈, 습관, 긍정)

삶의 질을 높이기 위한 7개 기둥, SNS 시대에 자신의 페이스를 잃지 않고 살아가기 위한 7개 기둥 자자자자멘습긍! 시작하십시오.

《나다운 방탄멘탈》

자연, 자동차, 뇌 호르몬, 사랑, 일, 행복, 방탄멘탈... 등 사람이 살아가는데 가장 중요한 것들에 기둥 7가지가 있듯이 리더 은퇴 준비라는 건물, 리더 노후 준비라는 건물에서 가장 중요한 기둥 7가지가 있다. 세계 최초 공개한다.

♥ 리더 은퇴 준비, 리더 노후 준비 7개 기둥

1. **방탄리더십 기둥** (삼성 리더십: 진정성, 전문성, 신뢰성)
2. 리더 자존감 기둥
3. 리더 멘탈 기둥
4. 리더 습관 기둥
5. 리더 행복 기둥
6. 리더 자기계발(돈) 기둥
7. 리더 코칭 기둥

20,000명 심리 상담, 코칭 하면서 알게 된 것은 나다운 인생, 행복한 인생, 삶의 질이 높은 사람들의 가장 큰 특징 중 하나가 7개 기둥 관리를 잘 한다는 것이다. 리더를 떠나서 모든 사람들에게 중요한 기둥 7개라는 것이다.

리더 은퇴 준비의 기본인 집, 건물에 해당되는 7개 기둥을 학습, 연습, 훈련할 것이다. 그 어디에서도 들을 수 없는 은퇴 준비 7개 기둥 설명 시작한다!

★ 자연 7개 기둥: 태양, 물, 땅, 바람, 동물, 태풍, 식물.

★ 자동차 7개 기둥: 운전 습관, 엔진, 바퀴, 핸들, 브레이크, 엑셀, 사이드미러.

★ 몸 7개 기둥: 자기관리 습관, 뇌, 눈, 머리, 장기, 팔, 다리.

★ 사랑 7개 기둥: 사랑 습관, 맞춰가려는 행동, 존중, 인정, 배려, 자존심 내려
　　　　　　　놓기, 이기는 것보다 지려는 마음.

★ 인간관계 7개 기둥: 인간관계 습관, 존중, 이해, 맞춰가려는 행동, 말투, 만
　　　　　　　　만하게 보이지 말자, 인연 끊을 사람 빨리 끊자.

★ 행복의 7개 기둥: 자존감, 자신감, 자기관리, 자기계발, 멘탈, 습관, 긍정.

리더 은퇴 준비, 리더 노후 준비
기둥 7개

1. 방탄리더십 기둥

(삼성 리더십: 진정성, 전문성, 신뢰성)

2. 리더 자존감 기둥 3. 리더 멘탈 기둥

4. 리더 습관 기둥 5. 리더 행복 기둥

6. 리더 자기계발(돈) 기둥 7. 리더 코칭 기둥

평균 희망 은퇴 73세, 현실 은퇴 나이 49세! 100세 시대 언제까지 몸(노동)으로만 일해서 돈을 벌 것인가?

세상, 현실 기준에서 스펙, 돈, 인맥, 자산 등이 없어서 100세까지 노동을 해야 되고 몸까지 아프면 더 답이 없는 상황! 젊을 때는 100가지 중 99가지를 할 수 있지만 나이 들면 100가지 중 99가지를 할 수 없다. 3고 시대, AI 시대, 챗GPT 시대에 자신의 직업이 사라 질 수 있는 상황에서 어떻게 준비, 대비할 것인가?

 방탄JOB기술력 선택이 아닌 필수!

한 분야 전문성으로 힘든 시대다. 이제는 포트폴리오 커리어 시대다. (포트폴리오 커리어: 한 분야 전문성 외 다수에 전문성이 있는 사람) 자신 경력을 왜 썩히고 있는가! 자신 경력을 활용해서 6가지 수입을 발생시킬 수 있는 방탄JOB기술력! 언제까지 몸(노동)으로 일할 것인가? 자신 경력이 일하게 하자! 자신 콘텐츠가 일하게 하자! 시스템이 일하게 하자!

★ ★ ★ ★ ★

직장은 자신 인생을 책임져 주지 않지만
방탄JOB기술력은 자신 인생을 책임져 준다.
직장은 자신을 배신하지만
방탄JOB기술력은 자신을 배신하지 않는다.

ONLY ONE

방탄JOB
기술력

방탄자기계발사관학교
홈페이지 무인시스템

방탄자기계발사관학교 소개
1,000,000원

구매하기

PPT로 책 쓰기, 책 출간
200,000원

구매하기

자신 분야 6가지 수입을 창출 방법
200,000원

구매하기

방탄 사랑 사랑 사용 설명서 사랑도 스펙이다
200,000원

구매하기

★★★★★ 차별이 아닌 초월 혜택 ★★★★★

| Google 자기계발아마존 | ▶YouTube 방탄자기계발 | NAVER 방탄동기부여 | NAVER 최보규 |

이코노미 PT

기본 5H : 500,000원

☑ 150년 A/S (세계 최초)

☑ 마스터한 분야 자격증 1종 취득

☑ 방탄자기계발사관학교 강사 위촉

☑ 방탄자기계발사관학교 마스터 위촉

☑ 비지니스 PT 10% 할인
   (10만원 상당)

☑ 퍼스트클래스 PT 10% 할인
   (30만원 상당)

☑ 마스터한 분야 실전 2시간 강의
   교안 제공. (강사료 200만원 상당)

명품
자기계발

명품
동기부여

★★★★★ 차별이 아닌 초월 시스템 ★★★★★

타사와 비교불가 초월 혜택!
자신 분야 온라인 건물주가 되어 100년 수입 창출!

Google 자기계발아마존	▶YouTube 방탄자기계발	NAVER 강사야	NAVER 최보규

비지니스 PT

기본 5H : 500,000원

CHECK POINT

- ☑ 기본 1회(2~3일=10H)
- ☑ 6가지 수입 창출 시스템 실전 훈련
- ☑ 150년 A/S, 피드백

★★★★★ **차별이 아닌 초월 혜택** ★★★★★

✈

| Google 자기계발아마존 | ▶YouTube 방탄자기계발 | NAVER 방탄동기부여 | NAVER 최보규 |

비지니스 PT

기본 10H : 1,000,000원

- ☑ 150년 A/S, 피드백
- ☑ 마스터한 분야 자격증 1종 취득
- ☑ 방탄자기계발사관학교 전임 강사 위촉
- ☑ 방탄자기계발사관학교 전임 마스터 위촉
- ☑ 퍼스트클래스 PT 10% 할인
  (30만원 상당)
- ☑ 강사 맞춤 트레이닝 비대면 1회 제공
  (50만원 상당)
- ☑ 마스터한 분야 실전 2시간 강의 교안
  제공, 1:1 맞춤 교안 설명
  (강사료 200만원 / 1:1 맞춤 100만원 상당)

특허청 등록
최보규 자기계발코칭 창시자
등록 번호: 제 40-2072344 호

★★★★★ 차별이 아닌 초월 시스템 ★★★★★

타사와 비교불가 초월 혜택!
자신 분야 온라인 건물주가 되어 100년 수입 창출!

| Google 자기계발아마존 | ▶YouTube 방탄자기계발 | NAVER 강사야 | NAVER 최보규 |

퍼스트클래스 PT

기본 15H : 3,000,000원~

CHECK POINT

- ☑ 기본 1회(15H) / (2회 ~ 5회 선택 사항)
- ☑ 6가지 수입 창출 **자동 시스템 구축**
- ☑ 150년 A/S, 피드백, VIP맞춤 관리

★★★★★ 차별이 아닌 초월 혜택 ★★★★★

Google 자기계발아마존   ▶YouTube 방탄자기계발   NAVER 방탄동기부여   NAVER 최보규

퍼스트클래스 *PT*

기본 15H : 3,000,000원~

- ☑ 150년 A/S, 피드백, VIP맞춤 관리
- ☑ 자격증 3종 취득 (150만원 상당)
- ☑ 방탄자기계발사관학교 지회장 위촉
- ☑ 종이책, 전자책 출간 후 네이버 인물 등록
- ☑ 20H, 30H, 40H, 50H PT 20% 할인
- ☑ 강사 맞춤 트레이닝 대면 1회 제공
  (50만원 상당)
- ☑ 프로필 유튜브 홍보 영상 제작
  (100만원 상당)
- ☑ 마스터한 분야 풀 패키지 (교안 제공,
  1:1 맞춤 교안 설명, 청강 1회 제공)
  (강사료 200만원 / 1:1 맞춤 100만원 /
  청강 1회 200만원 상당)

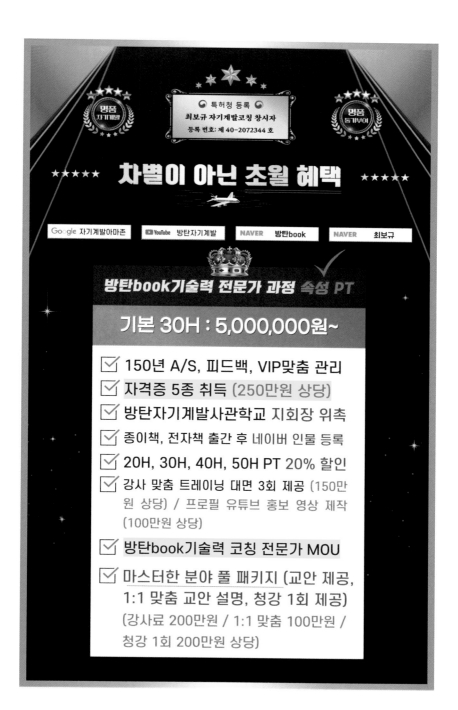

특허청 등록
최보규 자기계발코칭 창시자
등록 번호 : 제 40-2072344 호

차별이 아닌 초월 혜택

Google 자기계발아마존   YouTube 방탄자기계발   NAVER 방탄book   NAVER 최보규

방탄book기술력 전문가 과정 속성 PT

기본 30H : 5,000,000원~

- ☑ 150년 A/S, 피드백, VIP맞춤 관리
- ☑ **자격증 5종 취득 (250만원 상당)**
- ☑ 방탄자기계발사관학교 지회장 위촉
- ☑ 종이책, 전자책 출간 후 네이버 인물 등록
- ☑ 20H, 30H, 40H, 50H PT 20% 할인
- ☑ 강사 맞춤 트레이닝 대면 3회 제공 (150만원 상당) / 프로필 유튜브 홍보 영상 제작 (100만원 상당)
- ☑ **방탄book기술력 코칭 전문가 MOU**
- ☑ 마스터한 분야 풀 패키지 (교안 제공, 1:1 맞춤 교안 설명, 청강 1회 제공) (강사료 200만원 / 1:1 맞춤 100만원 / 청강 1회 200만원 상당)

CLASS	내용
class 1	자신 분야 연결 6가지 수입 창출 기술력 컨설팅
class 2	자신 분야 삼성(진정성, 전문성, 신뢰성) 향상 책 쓰기, 책 출간 기술력 PT
class 3	자신 전문 분야로 제2수입 창출 기술력 PT
class 4	자신 전문 분야로 제3수입 창출 기술력 PT
class 5	온라인, 디지털 콘텐츠 기획, 제작 기술력 PT (4,5,6 수입 / 100년 지속적인 수입 창출 PT)

◆ 참고문헌, 출처

<EBS 사람의 감정과 표정>
<미국 흑인배우 모건 프리먼 인터뷰 기사중>
《나다운 방탄습관블록》 최보규, 부크크, 2021
-두잉피플-
<습관이 답이다> 톰 콜리, 이터, 2023
(자료 : 서울연구원, 건강보험심사평가원) <SBS 뉴스>
<신경과학자 니르 이얄>
<최보규 방탄인간관계 창시자>
<따뜻한 편지 2457호>
<알리바바 창업자 마윈>
<방탄 인간관계 창시자>
<KBS 인간극장>
《마음을 밝혀주는 소금 1》 내용 각색
<유튜브 방송대 지식+>
《인성이 실력이다》 조벽, 해냄, 2016
《나한테 왜 그래요?》 <유튜브 스터디언>
《상상하여? 창조하라!》 유영만, 위즈덤하우스, 2008
《무례함의 비용》 <유튜브 책그림>
《왜 나는 진정한 친구 하나 없는 걸까》 조은강, 메이트북스, 2019
<유튜브 책그림>
《적응력이 실력이다》 데이비드 스터트, 중앙북스, 2013
<SBS 드라마 낭만닥터 김사부>
<유튜브 터닝포인트 - 위대한 성공의 시작점>
《캣치》 바네사 반 에드워즈, 쌤앤파커스, 2018
《회복탄력성》 김주환, 위즈덤하우스, 2011
《방탄 리더 스피치 3》 최보규, 부크크, 2023
<두산백과>

《최고의 설득》<유튜브 책그림>
《나다운 강사1》최보규, 좋은땅, 2019
<KBC뉴스 배주환 기자>
<미래한국 김민성 기자>
<세바시 인생질문> - 김호 더랩에이치 대표 -
《나다운 방탄멘탈》최보규, 베프북스, 2020

방탄리더사관학교 2

(방탄 리더 인재 양성 사관학교)

발 행 | 2024년 04월 25일

저 자 | 최보규, 서윤희

편 집 | 최보규, 서윤희

디자인 | 최보규, 서윤희

마케팅 | 최보규

펴낸이 | 한건희

펴낸곳 | 주식회사 부크크

출판사등록 | 2014.07.15.(제2014-16호)

주 소 | 서울특별시 금천구 가산디지털1로 119 SK트윈타워 A동 305호

전 화 | 1670-8316

이메일 | info@bookk.co.kr

ISBN | 979-11-410-8148-5